Dados Internacionais de Catalogação na Publicação (CIP) de acordo com ISBD

Barbosa, Waldemar de Almeida

B238a O Aleijadinho de Villa Rica / Waldemar de Almeida Barbosa. - 2. ed. -
Belo Horizonte - MG : Garnier, 2020.

119 p. ; 16cm x 23cm.

Inclui índice.
ISBN: 978-65-86588-17-0

1. História do Brasil. 2. Arte. 3. Aleijadinho. I. Título.

2020-976 CDD 981
CDU 94(81)

Elaborado por Vagner Rodolfo da Silva - CRB-8/9410

Índice para catálogo sistemático:

1. História do Brasil 981
2. História do Brasil 94(81)

O ALEIJADINHO
DE VILA RICA

Diretor editorial
Henrique Teles

Produção editorial
Eliana Nogueira

Arte gráfica
Ludmila Duarte

Revisão
Eduardo Satlher Ruella

Fotos
Al Handan
Peter Scheier
Marcel Gautherot

EDITORA GARNIER
Belo Horizonte
Rua São Geraldo, 67 - Floresta - Cep.: 30150-070 - Tel.: (31) 3212-4600
e-mail: vilaricaeditora@uol.com.br

WALDEMAR DE ALMEIDA BARBOSA

O ALEIJADINHO DE VILA RICA

GARNIER
desde 1844

Sumário

O NASCIMENTO

O primeiro biógrafo do Aleijadinho, Rodrigo José Ferreira Bretas, assim inicia seu trabalho: "Antônio Francisco Lisboa nasceu a 29 de agosto de 1730, no arrabalde desta cidade, que se denomina — o Bom Sucesso — pertencente à freguesia de N. S." da Conceição de Antônio Dias, filho natural de Manuel Francisco da Costa Lisboa, distinto arquiteto português, teve por mãe uma africana ou crioula de nome Isabel, escrava do mesmo Lisboa, que o libertou por ocasião de fazê-lo batizar".

Neste pequeno trecho, há uma série de equívocos. O primeiro consistiu em considerar como data do nascimento a do registro de batismo, que se encontrou nos livros da paróquia de Antônio Dias: "Aos vinte e nove dias do mês de agosto de mil setecentos e trinta, nesta igreja Matriz de Nossa Senhora da Conceição, com licença minha, batizou o Rev. Pe. João de Brito a Antônio, filho de Isabel, escrava de Manuel Francisco da Costa, de Bom Sucesso ..."

Ora, ninguém era batizado no dia do nascimento, a não ser excepcionalmente, em caso de doença grave. O costume tradicional, em Minas, como em todo o Brasil e em Portugal, era levar a criança ao batismo 2, 3 e até 6 meses após o nascimento. Artur Rezende, na sua Genealogia Mineira, menciona poucas datas de nascimento, o que é compreensível; ninguém dava importância à data do nascimento. Mas as poucas pessoas cujas datas de nascimento o Autor menciona, foram batizadas 2, ou 3 ou 4 meses depois.

Outro costume generalizado em Minas, no Brasil, em Portugal, no mundo cristão em geral, era o de dar à criança a ser batizada o nome do santo do dia do nascimento.

Albert Dauzat, em seu livro *Les noms de Personnes — orige et evolution*, assinala que foi no final da Idade Média que se generalizou, na Europa, o costume de batizar a criança com o nome do santo do dia do nascimento. Mais tarde, lembra o Autor, o Concílio de Trento (1563) recomendou essa medida aos católicos. [1]

Nestas condições, podemos garantir que o "Antônio" daquele registro de batismo, filho da escrava Isabel, nasceu no dia 13 de junho, dia de S. Antônio, isto é, dois meses e poucos dias antes do batismo,

Mas esse Antônio, filho da escrava Isabel, seria o Antônio Francisco Lisboa? Seria o artista genial? É pouco provável. Frisemos que o registro de batismo não menciona nome do pai; afirma que Antônio era "filho de Isabel, escrava de Manuel Francisco da Costa". Rodrigo Bretas, por sua conta, a este nome, acrescentou "Lisboa", o que não depõe a favor do biógrafo.

O próprio Rodrigo M. F. de Andrade julga inaceitável aquele registro como sendo o de Antônio Francisco Lisboa. Textualmente: "O registro de batismo divulgado por seu consciencioso biógrafo Rodrigo José Ferreira Bretas é inaceitável."[2]

O primeiro diretor do antigo Serviço do Patrimônio Histórico e Artístico Nacional explica: o manuscrito original da biografia de Rodrigo Bretas, encontrado no arquivo da Cúria de Mariana, mostra que, na sua primitiva redação, o Autor informava ter Antônio Francisco Lisboa nascido em 1738; em nota, esclarecia que se baseara no assento de óbito do artista. Realmente, num livro de registro de óbitos da Matriz de N. Sª. da Conceição de Antônio Dias, encontra-se o seguinte registro: "Aos 18 dias do mês de novembro de 1814, faleceu Antônio Francisco, pardo, solteiro, de setenta e seis anos ..." Ora, se em 1814 tinha 76 anos, logicamente nascera em 1738. Entretanto, explica Rodrigo M. F. de Andrade, tendo Rodrigo Bretas encontrado, posteriormente, o registro de batismo de Antônio, filho da escrava Isabel, deu nova redação ao texto, consignando, como a data do nascimento, a do batismo daquele Antônio.

Germain Bazin manifesta opinião idêntica, em duas passagens de sua obra. Primeiramente, o autor francês afirma não acreditar que o Manuel Francisco da Costa, do registro do batismo, seja o mesmo Manuel Francisco Lisboa. Em outra passagem, Germain Bazin escreveu: "1738 é a data presumível do nascimento de Antônio Francisco Lisboa, deduzida da idade com que morreu, indicada no obituário da igreja ..."[3]

Sylvio de Vasconcelos simplesmente dá o artista como nascido em 1738.

Rodrigo M. F. de Andrade ordenou as mais minuciosas pesquisas à procura do registro de batismo de Antônio, no ano de 1738, pouco antes e pouco depois daquele ano. E informava em seguida: o maior conhecedor daqueles livros, Sr. Manuel de Paiva Júnior, afirmava sempre "não ter perdido a esperança de encontrar o desejado registro".

Com relação ao pai do artista, todos os autores são acordes em admitir tenha sido Manuel Francisco Lisboa, embora não exista qualquer documento que comprove esta paternidade. São dois os motivos pelos quais se admite Manuel Francisco Lisboa como pai do genial artista: primeiro, porque assim o afirma o 2° vereador de Mariana, na exposição transcrita por Rodrigo Bretas; segundo, porque foi esse o nome dado ao filho do Aleijadinho, Manuel Francisco Lisboa, batizado no Rio, em 23 de janeiro de 1777.

Geraldo Dutra de Morais, historiador sério, consciencioso, de todos quantos têm escrito sobre Antônio Francisco Lisboa, é o autor que mais tem contribuído, com suas pesquisas nos arquivos, para esclarecimento de certos episódios da vida do genial artista.

1. Adro dos Profetas — Profeta Ezequiel
Santuário do Bom Jesus de Matozinhos — Congonhas

Segundo esse historiador, o Governador da Capitania de Minas, D. Antônio de Noronha, cumprindo determinação do Marquês do Lavradio, de 7 de março de 1776, enviara ao Rio, com destino ao Rio Grande do Sul, 44 oficiais competentes (carpinteiros, pedreiros, ferreiros e serralheiros), para diversas obras de reconstrução, na praça de guerra, no Sul, a cargo do Tenente-General João Henrique Bohn, comandante das forças de ocupação.

D. Antônio de Noronha, logo após sua posse, em 29 de maio de 1775, recebera do Ministro Martinho de Melo e Castro minuciosas instruções sobre a situação no Sul do país, e determinava que atendesse prontamente a qualquer pedido de reforço do Marquês do Lavradio. "Naquele tempo, não se cuidava na América mais do que em fortificar os portos e em pôr as forças de terra e as marítimas em estado de receber a fúria castelhana".

Cumprindo a determinação do vice-rei, D. Antônio de Noronha, em correspondência de 1.º de junho de 1776, comunicava a partida para o Rio de Janeiro de 44 oficiais, cuja relação enviava. Na aludida relação, Geraldo Dutra de Morais encontrou o nome de Antônio Francisco Lisboa, "carpinteiro de ofício, pardo, solteiro, 37 anos, natural de Vila Rica". [4]

Acrescenta o ilustre historiador que o Aleijadinho não chegou a seguir para o Sul; todos os solteiros foram dispensados no Rio, por ordem do vice-rei, com receio de que eles pudessem desertar.

Há, nessa informação, dois dados de especial interesse. O primeiro é a idade de 37 anos mencionada, em 1776, o que significa ter nascido em 1739; está mais ou menos de acordo com a idade mencionada no registro de óbito, segundo o qual, teria o artista nascido em 1738. A diferença de um ano não é significativa, sabendo-se que de fato não se dava importância à data do nascimento.

Um exemplo queremos registrar da pouca importância que se atribuía à data do nascimento. Quando morreu D. Antônia da Encarnação Xavier, mãe de Tiradentes, em janeiro de 1756, procedeu-se ao inventário dos bens deixados; o Juiz de Órgãos, Sargento-mor Manuel Pereira Serra, compareceu à Fazenda do Pombal, onde residia a família, e pediu inicialmente ao cabeça do casal, Domingos da Silva Santos, pai do menino Joaquim José da Silva Xavier, fizesse a relação dos filhos, com suas idades. Na relação feita constam os filhos do casal, em número de sete e, entre eles, Joaquim José, "de idade de oito anos, pouco mais ou menos". Ora, Joaquim José nasceu em 16 de agosto de 1746, e, em janeiro de 1756, deveria estar naturalmente, com dez anos incompletos.

Mais tarde, em 22 de maio de 1789, quando Tiradentes foi submetido ao primeiro interrogatório, ao ser inicialmente identificado, declarou ter 41 anos; ora, faltavam três meses para ele completar 43 anos.

Na Genealogia Mineira, de Artur Rezende, poderiam ser extraídos dezenas de outros exemplos semelhantes, para mostrar a pouca importância dada antigamente à data do nascimento.

Assim, Antônio Francisco Lisboa, de acordo com o registro de óbito, deverá ter nascido em 1738; de acordo com a idade mencionada na relação do Governador D. Antônio de Noronha, deve ter nascido em 1739. A diferença parece normal.

A descoberta desse documento por Geraldo Dutra de Morais confirma uma afirmação de Rodrigo Bretas, constante da nota "g", quando declara que Antônio Francisco Lisboa esteve no Rio em 1776.

O MEIO EM QUE VIVEU

O mineiro formou seu caráter no isolamento. Minas Gerais, cercada de montanhas, viu-se isolada e separada do mundo exterior. Além do isolamento físico, dois outros fatores também concorreram poderosamente para manter o mineiro isolado do mundo exterior: o ouro e o receio de influências de ideias consideradas perniciosas. Várias providências da Coroa corroboram o que afirmamos. Depois de impressa, com todas as licenças necessárias, a obra de Antonil — *Cultura e Opulência do Brasil por suas drogas e minas* — viu-se apreendida, pois divulgava "muito distintamente todos os caminhos que há para. as Minas do ouro descobertas e se apontam outras que, ou estão para descobrir ou por beneficiar". Com este argumento, o Conselho Ultramarino aconselhava o rei se recolhessem os exemplares impressos e se não permitisse a sua venda, pois, com a "riqueza do Brasil com as novas minas do ouro se faz precisa toda cautela e recato". [5]

A preocupação de manter Minas isolada foi uma constante entre os conselheiros do rei. Ao Conde de Vimieiro, Governador do Estado do Brasil, recomendava D. João, nos albores da mineração, especiais cuidados, com relação aos portos de Santos e do Espírito Santo, pois que "ficam mais vizinhos às Minas e a este respeito se entende que serão os mais procurados dos navios estrangeiros".[6]

Em 1775, o Governador Antônio de Noronha recebeu instruções especiais sobre certos cuidados que deveria ter no governo das Minas: "A Capitania de Minas Gerais, de que S. Majestade confiou a V. Sª o governo, achando-se no centro de todas as outras e servindo-lhe por consequência cada uma de barreira, particularmente a do Rio de Janeiro ..."[7]

Sempre houve um receio particular com relação aos estrangeiros. Quando se soube, em Lisboa, que "um tal Barão de Humboldt" percorria a América, foi logo expedida ao Governador das Minas Gerais ordem para sua prisão, se por cá aparecesse; encarecia a recomendação fosse ele tratado com "toda a decência". Só com licença especial podia o estrangeiro penetrar no Brasil. Mas a Coroa receava, em Minas, a influência até de elementos vindos do próprio Reino. Assim é que, em 1801, o Príncipe Regente D. João recomendava ao Governador Bernardo José de Lorena se examinasse com a maior severidade "a conduta de todos os indivíduos que passam deste Reino para essa Capitania e quais sejam as suas opiniões religiosas e políticas; e logo que V. Sª venha ao conhecimento ou justa desconfiança de que eles são propensos aos falsos princípios que assolam a França ..."[8]

É por isso que Minas Gerais constituiu um meio à parte, nesse imenso Brasil. Aqui se formou uma cultura própria, sob a influência portuguesa, é claro, mas com caracteres próprios, resultantes do isolamento forçado de Minas e dos Mineiros.

E dentro desse isolamento, alheio a influências estranhas, criou o povo mineiro o sentido da tradição, impregnou-se da consciência da liberdade".

Minas já foi cognominada a "Meca da Liberdade", justamente porque, desde o início de seu povoamento, desde os albores da mineração, a Liberdade foi a estrela brilhante a guiar os passos de nossa gente.

Por que razão José Vás Pinto, o Superintendente das Minas, não conseguiu continuar no exercício de suas funções, e teve que regressar ao Rio?

A Guerra dos Emboabas resultou, é verdade, em total fracasso para os paulistas, que não tiveram um líder, como os emboabas, que se uniram em torno de Manuel Nunes Viana. Borba Gato poderia ter sido esse líder, se o quisesse. E certamente, outro teria sido o resultado da "guerra civil". Entretanto, a prudência ou o exagerado espírito realista do genro de Fernão Dias Pais o impediu de liderar os paulistas que, dispersos, desunidos, transformaram-se em presa fácil para os emboabas. Amador Bueno da Veiga não era um líder; feito comandante geral do exército dos paulistas, os acontecimentos de São João Del Rei demonstraram sua incapacidade de liderar aquela turba de exaltados.

Terminada a Guerra dos Emboabas, serenados apenas aparentemente os ânimos, Minas passou a ser teatro de sucessivos conflitos, que atestam um espírito de rebeldia, de inconformismo, de reação contra o domínio opressor. *O Discurso Histórico e Político* do *Conde de Assumar*, D. Pedro de Almeida, apresenta um retrato dos moradores das Minas, que ilustra bastante nosso pensamento: "Das Minas e seus moradores, bastava dizer o que dos do Ponto Euxino e da mesma região afirma Tertuliano: que é habitada de gente intratável, sem domicílio e ainda que está em contínuo movimento, é menos inconstante que os seus costumes: os dias nunca amanhecem serenos: o ar é um nublado perpétuo; tudo é frio naquele país, menos o vício, que está ardendo sempre. Eu, contudo, reparando com mais atenção na antiga e continuada sucessão de perturbações, que nela se veem, acrescento que a terra parece que evapora tumultos; a água exala motins; o ouro toca desaforos; distilam liberdade os ares; o clima é tumba de paz e berço de rebelião ..."

Realmente, Minas já foi, no passado, berço de contínuas rebeliões. Tivemos sucessivamente rebelião dos mineiros do Serro Frio, em 1715; o motim de São João Del Rei, em 1718; os levantes de Pitangui, durante o governo do Conde de Assumar e que valeram àquela vila a fama de "turbulenta"; na mesma época, de 1718 a 1720, verificou-se o levante do povo da Barra do Rio das Velhas e do Papagaio; o levante dos homens mascarados em Morro Vermelho (Caeté) deu-se em 1732; os famosos motins do sertão, em que se levantaram, em 1736, os povos do Brejo do Salgado e São Romão, liderados por Domingos do Prado, Maria da Cruz e o filho desta,

1. Passo da Coroação de Espinhos (Detalhe)
Santuário do Bom Jesus de Matozinhos — Congonhas

2. Passo da Ceia - Judas (Detalhe)
Santuário do Bom Jesus de Matozinhos — Congonhas

3. Passo da Ceia
Santuário do Bom Jesus de Matozinhos — Congonhas

4. Passo da Flagelação
Santuário do Bom Jesus de Matozinhos — Congonhas

5. Passo da Coroação de Espinhos
Santuário do Bom Jesus de Matozinhos — Congonhas

6. Passo do Horto — Anjo
Santuário do Bom Jesus de Matozinhos — Congonhas

7. Passo da Prisão
Santuário do Bom Jesus de Matozinhos — Congonhas

8. Passo da Ceia (Detalhe, lateral esquerda)
Santuário do Bom Jesus de Matozinhos — Congonhas

Pedro Cardoso do Prado, com gritos de "Viva o povo e morra Martinho de Mendonça", grito que repercutiu em Mariana etc. etc.

Não incluí, propositadamente, entre essas reações que assinalaram a formação histórica de Minas, a chamada Rebelião de Vila Rica de 1720; escritores românticos, como Couto de Magalhães, Alcebíades Delamare, Carlos Maúl e outros, desconhecendo os documentos existentes, deixaram-se levar pela imaginação e pretenderam fazer da pseudo-revolta de 1720 de Vila Rica um belo movimento nativista. A documentação que se encontra no Arquivo Público Mineiro, e vem sendo publicada por sua revista, demonstra que não houve, na chamada rebelião de 1720, a menor parcela de espírito nativista, nada absolutamente que a aproximasse de qualquer tentativa libertadora, não passou tudo de umas desordens provocadas por interesses indecorosos, acobertados sob o falso pretexto de oposição às Casas de Fundição.

Para compreender bem a obra do Aleijadinho, parece-nos indispensável ter em mente o meio em que o artista viveu. Nesse meio, como se percebe, estava bem vivo o ódio dos nativos aos forasteiros, quase diria, os emboabas, mas não aos portugueses radicados em seu seio.

E para se formar um juízo mais exato do que foi o movimento que ficou na História com o nome de Inconfidência Mineira, é essencial ler com cautela o que tem sido escrito sobre ele por autores antigos e modernos, pois estes nada mais fazem que repetir aqueles.

A Inconfidência Mineira foi incontestavelmente uma tentativa de libertação, planejada com a convicção de que a Liberdade já vinha tarde. E foi nesse ambiente, em que se formou a Inconfidência Mineira, que viveu Antônio Francisco Lisboa.

A propósito da Inconfidência Mineira, é bom frisar que estudos recentes têm demonstrado que não foi um movimento de elite, liderado por um grupo de poetas e sonhadores. Nada disso. Cláudio Manuel da Costa, Tomás Gonzaga, Pe. Manuel Rodrigues da Costa e outros mais não eram inconfidentes. Quando muito, poderiam ser chamados "simpatizantes". Almir de Oliveira, em *Gonzaga e a Inconfidência Mineira*, provou muito claramente que o poeta não era inconfidente. Em nosso trabalho *A verdade sobre Cláudio Manuel da Costa*[9], procuramos deixar bem claro que Cláudio não foi inconfidente. Os dois ilustres poetas tinham amigos que eram inconfidentes ativistas, estes traziam-lhes as novidades discutidas nas reuniões subversivas. Numa dessas conversas, surgiu o tema da bandeira proposta por Tiradentes, quando Cláudio sugeriu a ideia de um gênio da América a quebrar os grilhões que o prendiam. Essa ideia, sugeri da a Alvarenga pelo poeta, foi a causa única de sua condenação. Noutra roda de amigos, falou-se na suspensão da derrama, e Gonzaga saiu-se com esse comentário: "a ocasião perdeu-se" Esta frase, denunciada pelo Cônego Luís Vieira, provocou a condenação do Desembargador. Pe. Manuel Rodrigues da Costa viu-se envolvido no disse-que-disse e acabou condenado, pois, ficou provado que tinha conhecimento da conspiração e, pela legislação em vigor, ele, sabedor dos planos, tinha obrigação de denunciá-los. Pe. Manuel Rodrigues da Costa, pela situação de sua fazenda, no caminho do Rio, estava, frequentemente hospedando viajantes, com os quais conversava, é claro. Disso resultou ver-se denunciado, preso e condenado.

Como esse Pe. Manuel Rodrigues da Costa, como Vicente Vieira da Mota, como Cláudio, como Gonzaga, muitos outros homens ilustres ou não, que acompanhavam com interesse e com seu apoio moral o movimento dos inconfidentes de 1789, não tendo sido denunciados, não se viram envolvidos no processo. Pe. Martinho de Freitas Guimarães, amigo e admirador de Tiradentes, mais comprometido no movimento que Pe. Manuel Rodrigues da Costa, desapareceu, sem deixar vestígios, seu nome não aparece nos Autos. Como o vigário colado do Sumidouro de Mariana, quantos outros vigários estariam mais comprometidos que o Pe. Manuel Rodrigues da Costa e não se viram envolvidos?

Na verdade, pelo que se lê nas entrelinhas de vários documentos, a Inconfidência Mineira foi movimento eminentemente popular, que contava com o apoio maciço da gente das Gerais. Um pequeno trecho de um ofício de D. Luís de Vasconcelos e Souza ao Ministro Martinho de Melo e Castro, de 16 de julho de 1789, é bem sugestivo: "o modo de pensar em a Capitania de Minas é quase o mesmo em todos os que nela de algum modo figuram".[10]

O Desembargador José Pedro Machado Coelho Torres, em ofício de 11 de dezembro de 1789, deixa entrever que todo o povo da Capitania acompanhava com interesse o movimento libertador. Eis suas palavras: "Devo dizer mais a V. Exª que eu tomei o sistema de não proceder com todo o rigor de direito a prisões em todos os sujeitos que estariam nos termos disso, porque achei que a maior parte dos habitantes de Minas sabia em confuso, que se falava em levante, por causa da derrama e não seguiram o direito caminho de denunciarem (talvez por ignorância) e muitos dos nacionais presumirem que não desestimariam o êxito da má empresa ..." E conclui confessando que não seria conveniente ficasse divulgado que era grande "o número dos vassalos infiéis e indignos".[11] Felício dos Santos confessa que o movimento "tinha raízes em todos os pontos da Capitania e mesmo fora dela".[12]

O primeiro denunciante, Joaquim Silvério dos Reis, confessou que não lhe foi possível residir em Minas, tais as hostilidades que aqui enfrentou. Vítima de vários atentados no Rio, dali viu-se forçado a sair.

Basílio de Brito, na sua carta denúncia, declara textualmente: "sempre conheci, desde que vim para a América, nos nacionais dela, um interno desejo de se sacudirem fora da obediência que devem prestar a seus legítimos soberanos, mas antes, patenteiam uma interior vontade de fazerem do Brasil uma República livre ... "

Alvarenga, meia dúzia de anos antes da Inconfidência Mineira, no seu *Canto Genetliaco*, deixa transparecer um profundo e sadio nacionalismo. Eis pequena amostra:

"Bárbaros filhos destas brenhas duras,
nunca mais recordeis os males vossos;
revolvam-se no horror das sepulturas
dos primeiros avós os frios ossos,
que os heróis das mais altas cataduras
principiam a ser patrícios nossos;
e o vosso sangue, que esta terra ensopa,
já produz frutos do melhor da Europa.

Isto que a Europa barbária chama
do seio das delícias, tão diverso,
quão diferente é para quem ama
os ternos laços de seu pátrio berço!

Aquelas serras, na aparência feias,
— dirá José — oh quanto são formosas!
Elas conservam nas ocultas veias
a força das potências majestosas;

têm as ricas entranhas todas cheias
de prata, ouro e pedras preciosas."

O *Canto Genetliaco*, escreveu Rodrigues Lapa, "é uma apologia entusiástica da terra brasileira, das suas riquezas e dos seus homens".[15]

Entre os vários papéis anexados aos *Autos da Devassa* da Inconfidência Mineira, existe um poema, ou melhor, tentativa de poema, que um "fiel súdito" de São João Del Rei remeteu ao Visconde de Barbacena, esclarecendo que era da própria letra do Coronel José Aires Gomes. Por mais horrível que seja o poema, serve como amostra do estado de espírito reinante:

"Obra feita aos senhores de Portugal:
Marotos, cães, labregos, malcriados,
Porcos, baixos, patifes, presumidos,
Piratas no furtar enfurecidos,
Piolhentos, sebosos, cus-briados.

Atende que do reino vens perdidos
A chorar no Brasil os teus pecados.
E é tanto que da sabugem o cu cá limpa,
Começam a largar com mãos largas,
Sem se lembrar dos seus antigos estados vis". [14]

Vinte e nove anos antes da Inconfidência Mineira, foram fartamente distribuídos em Vila Rica uns papéis sediciosos contra os que perseguiam os jesuítas. Aberta a devassa, o Desembargador Agostinho Félix Pacheco apontou os responsáveis, Pe. Francisco da Costa e Cônego Francisco Xavier da Silva, que foram presos e tiveram confiscados todos os seus bens. Esse cônego, um dos fundadores do Cabido, era notável e famoso orador sacro e fora o autor da metade das poesias inseridas no *Áureo Throno*.

As *Cartas Chilenas*, cujas cópias eram distribuídas em Mariana, em Vila Rica e localidades vizinhas, constituem, na verdade, um libelo contra o governo despótico e opressor de Luís da Cunha Menezes. Vejamos algumas amostras:

"Aqui o povo geme e os seus gemidos" [15]

"Ah! pobre, ah pobre povo, a quem governa
Um bruto general, que ao Céu não teme,
Não tem o menor pejo de lhe verem
Tão indignas ações os outros homens!" [16]

Ora, foi nesse ambiente, foi respirando esse ar de inconformismo, que viveu Antônio Francisco Lisboa.

A construção de templos imponentes e suntuosos, como as matrizes de N. Sª do Pilar de Ouro Preto, N. Sª do Pilar de São João Del Rei, de S. Antônio de São José Del Rei, de N. Sª do Bom Sucesso de Caeté, capelas de S. Francisco de Assis de Ouro Preto e de São João Del Rei, de N. Sª do Carmo de Sabará e de Diamantina, a do Rosário de Vila Rica, o Santuário do Senhor Bom Jesus de Matozinhos de Congonhas etc. foi criando uma espécie de euforia coletiva, um acendrado ufanismo, como dizia Sylvio de Vasconcelos. Daí à reação contra a Coroa foi um passo.

O próprio contrabando do ouro em pó, que adquiriu proporções incríveis, constituiu uma forma de reação contra a metrópole.

No *Triunfo Eucarístico*, verifica-se, a cada momento, o orgulho com que é feita referência à riqueza do ouro e dos diamantes. "Nesta vila habitam homens de maior comércio, cujo tráfego e importância excede sem comparação o maior dos maiores homens de Portugal". Vila Rica é "a pérola preciosa do Brasil". Comenta o Autor "o fausto dos templos e a preciosidade dos altares". Vila Rica se tornara, sem dúvida, o principal centro urbano do Brasil, superior em tudo, até mesmo em população, ao Rio, a São Paulo e a Salvador. Com suas ruas calçadas de pedras, suas pontes, seus chafarizes, Vila Rica se fizera realmente grande metrópole.

Quando os estrangeiros começam a visitar Minas Gerais e a registrar suas impressões, Vila Rica estava já reduzida a menos da metade do que fora antes da Inconfidência Mineira. O aparato militar, com que foi sufocada essa tentativa de libertação nacional constituiu verdadeira tragédia para a gente das Gerais. Mesmo assim, o Barão de Eschwege, depois de residir por 10 anos em Vila Rica, vai a São Paulo, em 1821, e ali registra: "O teatro e os atores são bem piores que os de Vila Rica".

O reverendo R. Walsh, inglês, que visitou Vila Rica no começo do Século XIX, mostrou-se surpreso de encontrar ali, nas diversas lojas, mercadorias importadas de seu país, como "algodões de Manchester, finas lãs de Yorkshire, meias de Nottingham, chapéus de Londres, cutelaria de Sheffield, tudo com a mesma fartura e bons preços dos lugares onde eram manufaturados".

John Mawe foi o primeiro estrangeiro a obter permissão para visitar Minas Gerais; encontrou Vila Rica em plena decadência; o comentário que ouviu e registrou é que o nome deveria ser mudado para Vila Pobre; notou enorme quantidade de casas fechadas, que eram vendidas pela metade do preço real.

Saint Hilaire deixou registrado que a população de Vila Rica, que chegara a 20.000 almas, estava reduzida a 8 mil. Mesmo assim, anotou: "Entre todas as cidades do Brasil, nenhuma tem comércio tão animado como Vila Rica".

O Dr. Hermann Burmeister, que visitou Ouro Preto em meado do Século XIX, anotou: "Da antiga riqueza e opulência da cidade dão-nos testemunho apenas as igrejas solidamente construídas e de aspecto imponente, e a Casa da Câmara, construção de muito bom gosto". Sobre essa Casa da Câmara, observou: "Não me resta a menor dúvida de que se trata do edifício mais perfeito que encontrei no Brasil".

Francis Castelnau considerou os habitantes de Ouro Preto "mais adiantados do que os da maioria das cidades do Brasil".

Essas impressões destes estrangeiros do Século XIX ajudam-nos a imaginar o que teria sido a Vila Rica do Século XVIII, o principal centro urbano do país, orgulho de seus moradores, centro intelectual cujo valor se conhece pela chamada "Escola Mineira".

No *Áureo Throno Episcopal*, nota-se a exaltação de Mariana:

"E Mariana, que gera o metal louro
O Bispado é sol, planeta de ouro".

Vejam o entusiasmo do Autor: "Alegra-te, ó Mariana Ilustre: congratula-te, ó Cidade famosa: dá-te os parabéns a ti mesmo, ó nobilíssimo povo".

A obra do Aleijadinho está estreitamente ligada ao meio em que viveu o grande artista, onde borbulhava, bem vivo, um ressentimento contra o governo opressor.

Note-se: o martírio de Tiradentes e a condenação ao exílio dos demais inconfidentes deram-se apenas quatro anos antes de o Aleijadinho iniciar os trabalhos em Congonhas.

Era sabida a ligação do Aleijadinho com Cláudio Manuel da Costa, advogado da Ordem Terceira de S. Francisco de Assis, de Vila Rica, desde 1771; não é segredo que a morte misteriosa do poeta, na prisão, chocou profundamente a população de Vila Rica, que não aceitou o boato oficial do suicídio. Existem vários depoimentos nesse sentido. O enforcamento de Tiradentes, a exposição de sua cabeça num poste em Vila Rica, a morte de Cláudio, com testemunha ocular de que ele fora morto fora do cubículo em que se achava preso, o exílio dos réus da Inconfidência Mineira, o sequestro dos seus bens, tudo isso teve funda repercussão no seio do povo. Existe um documento, uma carta de um frade a seu irmão de hábito, residente em Portugal, sem data e sem assinatura, como era costume, naquelas circunstâncias, e na qual se comentam episódios ocorridos em Minas e no Rio, durante os interrogatórios. A carta, vê-se logo, é pouco posterior à sentença. Pois bem, eis as palavras finais da aludida carta: "Algumas famílias se mudaram de Vila Rica para fora; os que intentavam estabelecer-se, decidiram o contrário, temendo com razão a infalibilidade de uma existência precária; fábricas grandes de mineração se derrotaram; alguns lavradores ficaram perdidos; enfim, a desolação se espalhou por toda a Capitania; e apenas se consideram seguros os parciais da impostura, da ambição e do orgulho".[17]

Nesse ambiente, não é de se estranhar se tenha notado um cunho nacionalista na obra do Aleijadinho e, para isto, justamente, já chamara a atenção Sylvio de Vasconcelos.

Convém registrar que a civilização na colônia — e a colônia era o Nordeste, como veremos a seguir — correspondia a "uma cultura transplantada e solidamente amarrada à mãe pátria". Tudo era português. E mais aportuguesado se tornou ainda, depois da expulsão dos holandeses do Brasil. Essa expulsão foi obra exclusiva de brasileiros, que não contaram com nenhum auxílio da metrópole e, antes, desobedeceram às ordens da Coroa, que determinou a cessação das hostilidades. Mas a verdade é que a vitória final dos brasileiros contra o invasor holandês, passou a ser encarada também como vitória de Portugal. André Vidal de Negreiros, João Fernandes Vieira, Henrique Dias, Filipe Camarão, eufóricos depois da rendição total dos holandeses, em 1654, encararam com muita naturalidade o triunfo final, como triunfo de Portugal. O episódio mais aproximou da metrópole os nascidos no Brasil. No mobiliário, no vestuário, nas casas, tudo era português.

É sabido que até o Século XVIII, exclusive, o Brasil era o Nordeste. E o Nordeste era o açúcar. Mas o açúcar só representava riqueza na metrópole, depois de vendido aos países consumidores. E bastou que a Inglaterra e outros países introduzissem a cultura da cana em seus domínios, para que o preço caísse assustadoramente e fizesse desaparecer essa riqueza aleatória, que era o açúcar. No final do Século XVII, esse produto "mal dava, no reino, o preço que no Brasil custava". [18]

A miséria tomou conta dos engenhos, ao redor dos quais uma turba de desempregados e negros forros causava preocupações. No Brasil inteiro, o comércio entrou em decadência. No Maranhão, "caíam em ruína os engenhos" — é a informação de Southey. [19]

Chegou a registrar-se fome na Bahia. Por falta de dinheiro, "ninguém arrematava os direitos", informa Southey.[20] O Governador-Geral, em 1689, escrevia que, naquele ano, não recebera nenhuma proposta para a arrecadação dos dízimos: e os próprios funcionários iriam realizar a cobrança. Como tentativa de minorar a situação, um edital de 3 de julho de 1689 estipulava novos valores para as moedas em circulação: a moeda de 3 vinténs deveria circular como valendo 4; as de 4 e 5, como de 5 e 6, respectivamente; as de 6, como se fossem de 8; as de 8 vinténs (que valiam um tostão), como de 2 tostões; assim por diante. Em 1691, informa Eulália Maria Lahmeyer Lobo, a situação da colônia era a mais precária possível: "as epidemias dizimaram o gado e os escravos, o mau tempo afetava a lavoura".[21]

Pouco antes, apesar da miséria que reinava na colônia, o rei exigiu a remessa, para Portugal, de toda a renda da Coroa, descontados apenas os salários dos funcionários, a fim de se comprarem armas[22], o que representava a paralização de todas as obras públicas.

É nessa emergência, nessa fase de desalento, quando capitais começavam a ser transferidos para Portugal, que surgem as minas de ouro, inicia-se o "rush" para o novo Eldorado, uma era de esperança se abre para os portugueses e os naturais da América, e, de todos os pontos, de Pernambuco, do Piauí, da Bahia, do Rio, de São Paulo, do reino e até da Índia, começa a grande afluência para as Minas Gerais. Verifica-se o que Augusto de Lima Júnior chamou a "grande invasão" do nosso território. "As transmigrações eram espantosas", escreveu o Visconde de Porto Seguro. "Das cidades, das vilas, recôncavos e sertões do Brasil, vão brancos, pardos, pretos e muitos índios de que os paulistas se servem ..." são palavras de Antonil. Segundo Rocha Pita, contemporâneo, como Antonil, da grande invasão, "o ouro das Minas do Sul foi a pedra-ímã da gente do Brasil" e com tão veemente atração, que veio provocar "carestia de víveres e mantimentos, por haverem ficado desertas as fazendas que os produziam".

Foram inúteis os decretos reais de 25 de novembro de 1709 e de 19 de fevereiro de 1711, que proibiam o embarque de portugueses para o Brasil, com receio de "ficar o reino despovoado". De todas as formas, eram burladas as ordens régias.

Desta forma, constituiu-se em Minas a maior concentração de portugueses na América. Qualquer coisa diferente se verifica nas montanhas de Minas; há riqueza, e riqueza independente da metrópole. Os paulistas declaravam abertamente e com orgulho, que as Minas foram uma conquista que eles realizaram, sem qualquer concurso do reino. A euforia proveniente da riqueza, riqueza conquistada com o próprio esforço, foi provocando lento afastamento da Coroa. A Guerra dos Emboabas certamente não contribuiu para melhorar a convivência com a gente da metrópole.

Nas primeiras décadas da existência das Minas, observa-se, segundo Sylvio de Vasconcelos, um sentimento de "ufanismo", de que são testemunhas o *Triunfo Eucarístico* e *Áureo Throno Episcopal*, o primeiro, escrito em comemoração à trasladação do Santíssimo Sacramento da igreja do Rosário para a Matriz do Pilar; e o segundo, de exaltação a Mariana, para celebrar a chegada do primeiro bispo, D. Frei Manuel da Cruz. Há entusiasmo, há riqueza disseminada, há fartura. Existe, nítido, um sentimento novo, diferente do que se verificava no Nordeste, onde os portugueses sempre se sentiram com o umbigo pregado na sua terrinha de origem, alimentando o desejo de ajuntar algum cabedal e regressar ao velho Portugal.

O português não se sentia, ali, ligado à nova terra. Experimentava a sensação de exilado da mãe pátria. Em 1709, Manuel de Almeida Gomes escrevia da Bahia: "Eu aqui fico, purgando os meus pecados nesta cidade, ou neste degredo".[23]

Já nas Minas, os portugueses se adaptam, se unem, deixam-se prender pela riqueza, ou pelos encantos da terra, tornam-se às vezes grandes e poderosos senhores, que não pensam em regressar. Uns poucos regressam, é verdade; mas a maioria, embora sem esquecer sua pátria de nascimento, adota a terra como nova pátria. Tanto isso é verdade que, entre os condenados da Inconfidência Mineira, vamos encontrar Domingos de Abreu Vieira, com 65 anos, o mais velho dos inconfidentes, natural de São João de Consieiro, Comarca de Viana, Arcebispado de Braga, Portugal; Antônio de Oliveira

Lopes, de 63 anos, natural da Vila de Abrantes, bispado de Guarda, Portugal; Tomás Antônio Gonzaga, Desembargador, de 40 anos, natural da Cidade do Porto; e Vicente Vieira da Mota, de 54 anos, também natural da cidade do Porto.

Mesmo os jovens educados e diplomados na Europa, como Cláudio Manuel da Costa, Alvarenga Peixoto, Santa Rita Durão etc, têm suas vistas voltadas para a terra natal, vivem os problemas do povo, preocupam-se com sua história, como Cláudio Manuel, que pode e deve ser chamado o primeiro historiador da terra mineira.

Em Minas Gerais concentra-se, já vimos, o maior contingente de portugueses que, com raras exceções, vivem integrados no seio do povo, vivendo seus problemas e seus anseios.

Acontece que o clero concorria também para o enfraquecimento do elo que prendia a colônia à metrópole. Proibidos os conventos religiosos em Minas, aqui tivemos apenas os hospícios. Além dos franciscanos da Terra Santa, tivemos os franciscanos e capuchinhos pregadores, que periodicamente percorriam a Capitania. O clero permanente, em contato diuturno com o povo, era nacional: constituía-se de padres que formaram seu espírito e sua cultura em Mariana. Sempre viveram em Minas, e aqui difundiram o conceito de pátria. As bibliotecas do Cônego Luís Vieira da Silva, do Pe. Carlos de Toledo etc. atestam convivência com pensadores e enciclopedistas franceses. E era comuníssimo o hábito do empréstimo de livros, segundo se vê em alguns depoimentos, nos *Autos da Devassa*.

Vamos dar um exemplo da atitude do clero. O Pe. Dr. Manuel José da Fonseca Brandão, vigário da Vila do Príncipe, era afamado não só pelas suas virtudes, como pela sua palavra apostólica. Era grande orador sacro. Este vigário extremamente caridoso, muito piedoso e destemido, pregava sermões que lembravam a vida dos primeiros mártires da fé. Convidado a pregar em determinada festa, na igreja do Carmo do Tijuco, para lá se dirigiu Pe. Brandão. No Tijuco, nunca o povo sofrera tanto, como na administração do Dr. José Antônio de Meireles que, desde três anos atrás, exercia o cargo de Intendente dos Diamantes, com poderes superiores aos do Governador da Capitania. Foi o mais terrível perseguidor dos garimpeiros, tão feroz, que recebeu o apelido de Cabeça de Ferro. Aos soldados dava ordem de matar os garimpeiros, sem piedade. O tronco da cadeia do arraial permanecia cheio de presos que, devido aos maus tratos e açoites, morriam logo. O povo sofria também, assistindo aos padecimentos dos pobres garimpeiros e criminosos em geral, como também de inocentes.

Quando os presos, alguns inocentes, souberam da presença no arraial do Pe. Brandão, mandaram implorar-lhe que fosse vê-los. Pe. Brandão foi e ficou horrorizado, ante o estado lastimável em que viu os presos.

No dia da festa, repleta a igreja do Carmo, presentes todas as autoridades locais, o Pe. Brandão leu um sermão veemente, cujo manuscrito era guardado pelo Dr. Joaquim Felício dos Santos, como rara preciosidade. Depois de falar nos sofrimentos do povo da Demarcação Diamantina, das perseguições, das prisões de inocentes, passou a falar da cadeia. Começou a apostrofar o Intendente, que estava presente, no meio do pasmo e da admiração geral: "Ministro de Satanás! Como aferrolhas míseros inocentes, nesse horrível calabouço, cujo único crime foi terem cavado na terra os tesouros que a Providência aí ocultou, para sustentarem a vida? Um dia, talvez em breve, a inocência clamará contra ti, no tribunal divino, longe das paixões do mundo; e a maldição de Deus cairá sobre tua cabeça!"

Terminado o sermão, todos julgaram que o Intendente trataria de vingar-se da ousadia do sacerdote; mas, não, mandou logo pôr em liberdade todos os que estavam presos injustamente e suavizar a sorte dos criminosos, mandando tirá-los do tronco.[24]

Com tais procedimentos dos vigários, vão-se "esgarçando os liames entre a colônia e o reino". O Barão Wenzel de Mareschal, representante diplomático da Áustria, em carta de 16 de fevereiro de 1822 (antes, portanto, do grito do Ipiranga), assim se exprimia sobre os moradores de Minas Gerais: "Essa massa que representa aproximadamente dois milhões de habitantes, é bastante forte para resistir aos esforços das Cortes e promover com o correr do tempo a união das demais províncias".[25]

Um outro problema afetava a grande concentração de portugueses, nas Minas Gerais. Não havia mulheres brancas. Segundo o depoimento de um alemão, as mulheres portuguesas, além de poucas eram feias. "Parecem mais homens que mulheres".[26] Entre as índias, pelo contrário, encontravam-se "notáveis belezas", segundo Pohl.[27] Também Jean de Léry salientou que nossas índias "nada devem às outras (mulheres), quanto à formosura".[28]

Não é de se estranhar tenha surgido intensa miscigenação, com o aparecimento de mulatos e caboclos (este o nome que se dava aos filhos de pai branco e mãe índia). Na segunda metade do Século XVIII, tem início a fase de decadência das minas e o abandono paulatino da mineração. Não cessou de todo, mas diminuiu, o afluxo de portugueses. E, assim, nas Minas, formou-se uma população de "mineiros", gente natural das Minas, não mais o termo a designar mineradores.

Germain Bazin cometeu um equívoco, no começo de sua obra sobre o Aleijadinho, quando afirmou que "o elemento indígena conta pouco na mestiçagem".[29]

Engano do ilustre mestre, conservador do Museu do Louvre. Tanto em Minas, como em São Paulo, no Maranhão, no Rio Grande do Sul, eram numerosíssimas as famílias de descendentes de índios. Mais ainda: todos tinham orgulho de sua ascendência indígena, que era considerada título de glória. Quem o afirma é o irlandês Dr. Ricardo Gumbleton Daunt, nas cartas que escreveu de São Paulo, e se encontram no arquivo do Instituto Histórico e Geográfico Brasileiro. Couto de Magalhães, observador e profundo conhecedor do interior do país, autoridade indiscutível no assunto, escreveu: Em São Paulo, em Minas, no Paraná e Rio Grande do Sul, a população de origem indígena "é considerável, muito maior que qualquer das provenientes dos troncos branco e preto".[30]

Se antes já eram comuns, habituais e toleradas as ligações de português com índia, imagine-se depois do alvará de 1755, que determinou: " ... os meus vassalos deste reino e da América que casarem com as índias, não ficam com infâmia alguma, antes se farão dignos da minha real atenção e, nas terras em que se estabelecerem, serão preferidos para aqueles lugares e ocupações que couberem na graduação de suas pessoas e seus filhos e descendentes serão hábeis e capazes de qualquer emprego, honra e dignidade, sem que necessitem de dispensa alguma, em caso de alianças, em que serão compreendidas as que se acharem feitas antes desta minha declaração e outrossim proíbo que os ditos meus vassalos casados com índias, ou seus descendentes, sejam tratados com o nome de caboclos ou outro semelhante, que possa ser injurioso ..."[31]

Essa preocupação de incorporar o indígena à comunhão brasileira, Pombal iniciou-a em 1751, quando enviou a famosa Instrução a Gomes Freire de Andrada: "O meio mais eficaz em semelhantes casos é o de que se serviram os romanos com os sabínos, e com as mais nações que, depois, foram incluindo no seu império: o que, à sua imitação, estabeleceu o grande Afonso de Albuquerque na primitiva Índia Oriental; e o que os ingleses estão atualmente praticando na América Setentrional, com o sucesso de haverem ganhado vinte e um graus da costa sobre os espanhóis. Isto se reduz em substância a dois pontos, os quais são: primeiro, abolir V. Exª toda a diferença entre os portugueses e tapes, privilegiando e distinguindo

2. Adro dos Profetas — Profeta Joel
Santuário do Bom Jesus de Matozinhos — Congonhas

os primeiros, quando casarem com as filhas dos segundos, declarando que os filhos de semelhantes matrimônios serão reputados por naturais do reino, e nele hábeis para ofícios e honras, conforme a graduação em que os puser o seu procedimento ..."[32]

Não podemos esquecer-nos da ideia de Cláudio Manuel da Costa de sugerir, em conversa com Alvarenga, para a bandeira da república que se pretendia fundar: um gênio da América a quebrar os grilhões que o prendiam, com a frase latina: *Aut libertas, aut nihil*. Aliás, em *El Brasil Restituído*, de Lope da Vega, o Brasil é representado por uma índia, Brasília.

Com o correr dos anos e com a destruição quase total dos índios, ao mesmo tempo em que se incrementava a imigração europeia, foi-se diluindo toda a aparência de ligação com a indígena.

Aquele ar de independência que sempre demonstraram os paulistas, no Século XVIII, veio-lhes, sem dúvida, do sangue indígena que corria em suas veias.

Nas Minas Gerais do Século XVIII, na falta de artistas portugueses, a arquitetura foi evoluindo para uma "maior liberdade de expressão". "Superior a tudo e singular nas esculturas de pedra em todo e o culto ou meio relevado, e no debuxo e ornatos irregulares do melhor gosto francês é o sobredito Antônio Francisco" — escreveu o 2° vereador de Mariana, na memória transcrita por Rodrigo Bretas, dando a entender claramente uma independência quanto à influência portuguesa.

Comenta, a propósito, Sylvio de Vasconcelos: "Gosto que se manifesta nas soluções elegantes, dinâmicas, ousadas e apuradas do rococó que, no caso mineiro, não se definem apenas por excessos decorativos, por vezes alambicados e decadentes que caracterizaram a última fase do barroco, mas que se afirma como uma força de estilo em nascimento, limpo, bem comportado, correto nas proporções e discreto na ornamentação".[33]

Quero chamar especial atenção para o depoimento de um português de talento e de cultura, segundo o qual o barroco mineiro "ensaia por vezes perspectivas exteriores numa profundidade estranha à veia portuguesa". Esse pensamento é de Jaime Cortesão que assim o completa: "Em nossa modesta opinião, o barroco de Minas, com todas as suas origens portuguesas, não deixa de ser uma das expressões mais originais da arte brasileira. Aliás, para os portugueses, a glória mais alta deve estar na sua capacidade imperial para assimilar com força criadora todos os elementos exóticos, mas afins, que encontrou pelo vasto mundo, e de haver provocado no Brasil, durante o Século XVIII, uma arte original".[34]

MANUEL FRANCISCO LISBOA

Foi um de nossos primeiros mestres carpinteiros da época, depois mestre-de-obras e arquiteto, português de nascimento, falecido em 1767.

Não existe qualquer documento que prove ter sido o pai do Aleijadinho. Existe, sim, na memória do 2° vereador de Mariana, transcrita no estudo de Rodrigo José Ferreira Bretas, a afirmação, em dois locais diferentes, de que Antônio Francisco Lisboa é filho de Manuel Francisco Lisboa. Outra circunstância leva os historiadores em geral a aceitar Manuel Francisco Lisboa como pai do Aleijadinho: este, ao batizar o filho, em 23 de janeiro de 1777, deu-lhe o nome de Manuel Francisco Lisboa.

Explica-se assim porque todos os biógrafos do Aleijadinho afirmam que o artista era filho de Manuel Francisco Lisboa.

Salomão de Vasconcelos, num estudo sobre *Ofícios mecânicos em Vila Rica*, publicou, citando livros da Câmara Municipal de Vila Rica, o seguinte: "Livro 18 — Licenças — À página 6 verso, vem este registro: "Manuel Francisco Lisboa tirou licença e ofereceu para seu fiador aos quintos e dízimos a Tomás Francisco Gomes (março de 1724). À página 31, vem este outro registro: Manuel Francisco Lisboa tirou sua licença para Antônio Dias, em janeiro de 1724".[35]

Salomão não informa para que fora a licença tirada. Judite Martins, ao escrever os seus Subsídios para a biografia de Manuel Francisco Lisboa, baseou-se no trabalho de Salomão de Vasconcelos, sobre "ofícios mecânicos" e concluiu muito naturalmente que a licença só poderia ser para o ofício de carpinteiro. De fato, a Câmara de Vila, depois da fase inicial do livre exercício de qualquer ofício, determinou duas modalidades de licença para o exercício de qualquer ofício mecânico:

ou o exame do candidato, depois do qual, se aprovado, receberia a sua carta de habilitação; ou a licença, com apresentação do fiador, que deveria ser renovada de 6 em 6 meses.

Desta forma, Judite Martins afirmou que a primeira notícia que se encontra, sobre Manuel Francisco Lisboa, data de 1724, quando obteve licença da Câmara Municipal de Vila Rica, para trabalhar no ofício de carpinteiro...[36]

Em outro trabalho, *Novos Subsídios acerca de Manuel Francisco Lisboa*, estranha Judite Martins que o pai do Aleijadinho tenha requerido licença à Câmara de Vila Rica, para exercer o ofício de carpinteiro, em vez de submeter-se ao exame: "É de estranhar-se, no caso, que Manuel Francisco Lisboa não fosse portador de exame do ofício e tenha utilizado o regime de licença, com fiador, pois já devia ser profissional experimentado, uma vez que, no mesmo ano de sua licença, aparece na qualidade; de "mestre" e juiz do ofício de carpinteiro... Esse fato comprova a notoriedade de sua capacidade técnica, pois não seria admissível profissional secundário ou menos conceituado assumir o posto público mais alto do ofício de carpinteiro".[37]

Em primeiro lugar, cumpre ressaltar um equívoco: não existe licença, nos livros da Câmara de Vila Rica a Manuel Francisco Lisboa, para o exercício do ofício de carpinteiro, no ano de 1724. Houve pequeno descuido de Salomão, ao citar o assunto do Códice 18 daquela Câmara. Talvez o ilustre historiador tenha percorrido os códices daquela Câmara um tanto distraidamente. O Códice citado, n⁰ 18, tem o seguinte título: "Termos de fianças de lojas e vendas". E na folha 6 v., contém o seguinte registro: Em 1 de março de 1724, passou a sua licença a Manuel Francisco Lisboa, ofereceu por seu fiador aos quintos e dízimos Francisco Gomes Machado".

O que Manuel Francisco Lisboa pediu e obteve, pois, foi licença para abrir uma loja; a multa para loja aberta sem licença da Câmara era de 4 oitavas.

Nada há de estranho em um oficial de carpinteiro abrir uma loja. Também o oficial carpinteiro Antônio Francisco Pombal, que é apontado como irmão de Manuel Francisco Lisboa, aparece, em 1727, como proprietário de uma loja, a contribuir para o donativo real.[38]

Eu entendo que as lojas, então, tanto podiam ser as de vender mercadorias, como as que corresponderiam ao que chamamos hoje de oficina. O que Manuel Francisco Lisboa teria aberto, em 1724, é a sua oficina de carpinteiro. É, sem dúvida, o que se deve entender da leitura das palavras finais do art. 3° do Regulamento dos ofícios, aprovado pela Câmara de Vila Rica, em 1722:

"Art. 1° — Toda pessoa que tiver loja aberta de qualquer gênero de mercadoria e se achar sem licença deste Senado pagará oito oitavas de ouro.

Art. 2° — Isto mesmo se entenderá com todo gênero de oficial que viver de seu ofício sem licença ou carta de exame e sem ser esta aprovada.

Art. 3° — Todas as pessoas das sobreditas que não tiver dado fiança para viver de suas lojas, assim de mercadorias, como de ofícios, pagará 4 oitavas".[39]

Assim, tanto a loja de Pombal, como a de Manuel Francisco Lisboa, seriam lojas de ofícios, ou seja, oficinas de carpintaria.

Outro equívoco ou descuido de Salomão refere-se à segunda anotação que publicou, e que teria encontrado na folha 31 do citado códice. O manuscrito não é de leitura fácil, porque a letra realmente é péssima. Mas para um velho pesquisador, como era Salomão, só um descuido ou uma distração explica o equívoco. O que se lê na folha 31 do citado códice 18 da Câmara de Vila Rica é o seguinte: "Manuel da Silva Lisboa, morador em Antônio Dias, tirou sua licença, ofereceu por seu fiador aos quintos... etc." e, logo em seguida "não teve efeito".[40]

5. Adro dos Profetas — Profeta Isaías (Detalhe)
Santuário do Bom Jesus de Matozinhos — Congonhas

Manuel Francisco Lisboa aparece, pela primeira vez, como mestre e juiz do ofício de carpinteiro, em 1724; trata-se de um documento de setembro de 1724, uma avaliação das obras realizadas na Casa dos Contos, que contém, entre outras, a assinatura do Capitão-General Brás Baltasar da Silveira, e em que figura o nome do pai do Aleijadinho, nestes termos: "mestre Manuel Francisco Lisboa, juiz do ofício de carpinteiro". [41]

Num trabalho de pesquisa realizado para o SPHAN, Salomão de Vasconcelos fez uma descrição completa dos livros da Delegacia Fiscal e da CMOP, existentes no Arquivo Público Mineiro; nesse trabalho, em dois grossos volumes, consta uma revelação realmente curiosa e acredito que inteiramente desconhecida: a escolha de Manuel Francisco Lisboa, em 1721, para juiz do ofício de ferreiro. É novidade, salvo engano, para muita gente: juiz do ofício de ferreiro. Para tirar qualquer dúvida, vamos transcrever os termos do acórdão da Câmara: "Ao primeiro dia do mês de março de mil setecentos e vinte e um anos, nesta Vila Rica, em casas da Câmara dela, presentes o juiz ordinário, o sargento-mor Belchior do Rios (?) de Melo, vereadores o licenciado João Glz. Batista, o Capitão Manuel da Silva da Fonseca e o procurador da Câmara e Conselho, Manuel Roiz Coelho, todos para deferirem aos requerimentos das partes e acordaram o seguinte: acordaram fazer eleição de juízes dos ofícios e juntamente de seus escrivães e saiu para juiz do ofício de alfaiate Manuel Ribeiro e para seu escrivão, Antônio João; para o ofício de ferreiro, por juiz, Manuel Francisco Lisboa e escrivão Domingos de Souza e para juiz de carpinteiro Manuel Nunes da Silva..."[42]

Pode-se explicar sem dificuldade o fato de o ferreiro aparecer, um pouco mais de três anos depois, como carpinteiro, mestre e juiz do ofício. Em Vila Rica, havia falta de oficial de carpinteiro, na época. Sabemo-lo, pelo registro feito no *Diário da Jornada que fez o Exmo. Sr. Dom Pedro desde o Rio de Janeiro até a cidade de São Paulo e desta até as Minas, no ano de 1717*. Ao chegar a Vila Rica, hospedou-se numa casa nova do Capitão-Mor Henrique Lopes, casa que veio a tornar-se o primeiro palácio dos governadores de Vila Rica, e cuja construção custara ao seu proprietário 45 mil cruzados, quando, em Lisboa, teria custado seis para sete mil cruzados. "Tal é a carestia desta terra e tais são os jornais, que um oficial de carpinteiro... ganha por dia duas oitavas de ouro, e ainda se rogam".[43]

Ora, se havia falta de oficiais carpinteiros, que ganhavam bem (foi a época da primeira inflação brasileira) e ainda se faziam de rogados, nada mais natural que um ferreiro (em Vila Rica encontravam-se vários escravos ferreiros) se dispusesse a mudar de ofício e aprender o de carpinteiro. Português, com boa disposição para o trabalho, com boa vontade e dedicação, aprendeu com facilidade o novo ofício e, no decorrer de três anos, já pegava empreitada no novo ofício. Convém ter em mente o sentido que então se dava à palavra "mestre". Chamava-se "oficial" àquele que exercia determinado ofício; mas desde que o oficial contratava empreitada, tinha outros oficiais às suas ordens, passava a ser designado por mestre.

Mas, e a carta de habilitação ou licença concedida a Manuel Francisco Lisboa? Nada encontramos nesse sentido.

A partir de 1732, vários acórdãos da Câmara de Vila Rica o apontam como juiz do ofício de carpinteiro. E muitas obras, algumas de vulto, o pai do Aleijadinho realizou em Vila Rica. Num termo de arrematação de 1734, vemo-lo como arrematante da fatura da Casa dos Contos (claro que a primitiva, não a que veio a ter esse nome depois da Inconfidência Mineira).[44]

Em 1741, Manuel Francisco Lisboa contratou a obra principal da construção do Palácio dos Governadores, por 40.000 cruzados. O antigo palácio era a casa de um ricaço de nome Henrique Lopes de Araújo, onde se hospedara D. Pedro de Almeida e ficara emprestada para residência desse Governador e de seus sucessores.

Em 1745, o pai do Aleijadinho arrematou a construção da cadeia nova, cujo risco fora executado pelo engenheiro José Fernandes Pinto Alpoim: tratava-se de obra de vulto, pois o preço da arrematação elevava-se a 60 mil cruzados.[45]

Em 1749, pediu um adiantamento, a primeira prestação, de acordo, aliás, com os termos do contrato celebrado; mas o adiantamento foi negado pela Câmara. Em vista disso, foi o contrato anulado.[46]

Em 1752, Manuel Francisco Lisboa contratou o serviço de condução de água para o palácio do Governador. [47]

Dois anos depois, o mestre carpinteiro arrematou uma obra grande: o conserto do encanamento d'água que vai para o palácio, Casa Forte e Casa de Fundição de Vila Rica, devendo usar cimento, fazer os caiamentos da parte interna do palácio etc. tudo pela quantia de 1:386$000.[48]

O trabalho principal consistia em construir de novo todo o encanamento, que se achava arruinado, até o nascimento da dita água, "que serão trezentos e cinquenta palmos de encanamento".

Em 1755, arrematou a construção da ponte de pedra no córrego de Antônio Dias, por onze mil cruzados.[49]

A construção de dois chafarizes, em Antônio Dias, o mestre carpinteiro arrematou pela importância de 1: 700$000. Entretanto, ele não os construiu; transferiu esse contrato para Miguel Gonçalves de Oliveira, com aprovação da Câmara.[50]

Com tantas obras públicas (não mencionadas as particulares), Manuel Francisco Lisboa tornou-se homem de recursos. Casado com a açoriana Antônia Maria de São Pedro, teve a satisfação de ser admitido, em 25 de dezembro de 1746, na Ordem Terceira do Carmo, uma das mais exigentes quanto à admissão de irmãos.

Mas o que dá ideia de que era homem de posses foi o aparecimento de uma criança exposta na porta de sua casa, em 1759. A criança recebeu o nome de Jacinto; e Manuel Francisco Lisboa criou-o com carinho. A Câmara Municipal tinha uma verba especial para ajudar a criação de crianças expostas, pois o fato era comum na época. Manuel Francisco Lisboa candidatou-se à verba da Câmara, apresentou testemunhas e foi admitido, por despacho de 23 de junho de 1759. No ano seguinte recebia 39 oitavas de ouro, pela criação do enjeitado Jacinto. Daí por diante, continuou a receber, em média, 3 oitavas de ouro por mês.

No seu livro *Manuel Francisco Lisboa*, A. J. R. Russel-Wood informa que, por volta de 1766, "menino Jacinto passou para a casa de Ajudante Antônio Pereira Valadares. Ignora-se qual foi o motivo desta transladação e os próprios vereadores foram negligentes em reconhecer a transferência de responsabilidade do arquiteto para o Ajudante".[51]

Ora, o caso é perfeitamente explicável. Manuel Francisco Lisboa adoeceu em 1766 e veio a falecer em 7 de julho de 1767; essa a razão por que foi Jacinto confiado a um amigo e cunhado do arquiteto, o Ajudante Antônio Pereira Valadares, que é quem passa a receber a verba da Câmara, a partir de 1768.

Em 1760, Manuel Francisco Lisboa arrematou as obras de consertos na residência dos governadores, por 8:138$400 (uma fábula!).[52]

Essa importância — 8:138$400 — era realmente uma fábula na época. E continuam os contratos resultantes de novas arrematações, assim como as avaliações, para as quais era convocado, a fim de fazer, como louvado, avaliações de trabalhos realizados. São inúmeras as avaliações de que participou.

Manuel Francisco Lisboa faleceu, como vimos, em 7 de julho de 1767, em Vila Rica, deixando os seguintes herdeiros, filhos de seu casamento: Maria da Conceição, Joaquina, Madalena e Félix, este último com 11 anos de idade.

Esse menino, Félix, nascido em Vila Rica em 12 de junho de 1755, veio a tornar-se Pe. Félix Antônio Lisboa, ordenado em Mariana. Intimado a depor, como testemunha nos *Autos da Devassa*, da Inconfidência Mineira, declarou, em 18 de julho de 1789, que era "natural da freguesia de N. Sª da Conceição de Antônio Dias desta Vila Rica", onde é residente, que vive de suas ordens, idade de trinta e quatro anos (ele tinha exatamente 44 anos); declarou que só depois da prisão do Alferes Joaquim José e do Coronel Joaquim Silvério, "ouviu falar pública e geralmente que os ditos tinham sido presos por andarem a falar em um levante... e depois também de praticarem nesta Capital as prisões do Desembargador Gonzaga e outras, assim como na Comarca do Rio das Mortes, também ouviu falar da mesma forma, que nasciam do mesmo motivo: e igualmente ouviu falar, sem se lembrar a quem, que tinha certo homem rebuçado ido em uma noite avisar o Dr. Cláudio Manuel da Costa que fugisse, que o queriam prender..." [53]

Rodrigo M. F. de Andrade, como diretor do PHAN, sempre se interessou pelas pesquisas em torno da vida e da obra de Manuel Francisco Lisboa. Incumbiu dessas pesquisas a Francisco Antônio Lopes, Luís Jardim, Antônio Pereira de Morais, Manuel de Paiva Ferreira e Salomão de Vasconcelos. As anotações que aqui registramos, na sua maioria, são resultado das pesquisas de Salomão de Vasconcelos.

O ESTUDO DE RODRIGO JOSÉ FERREIRA BRETAS

Rodrigo José Ferreira Bretas, a quem devemos a primeira biografia do Aleijadinho, nasceu em Cachoeira do Campo, em 1815. Foi professor de Filosofia e Retórica em Barbacena e, em seguida, em Ouro Preto; Promotor Público interino na Comarca de Ouro Preto; é autor de um livro intitulado *Novo esqueleto das faculdades e origem das ideias no espírito humano, segundo os princípios de Mr. Laromiguère, ou da Psicologia vigente*, publicado em Ouro Preto em 1854. Foi deputado provincial nas legislaturas 9.ª, 10.ª e 11.ª (de 1852 a 1857) e 13.ª (1860-1861). Ocupou o cargo de Inspetor da Instrução Pública (devia corresponder este cargo ao de Diretor do Ensino) e, interinamente, o de Secretário do Governo da Província. Dirigiu um colégio em Cachoeira do Campo e, em Ouro Preto, um externato. Foi agraciado pelo Imperador com a Ordem da Rosa.

Pelo que se depreende desse resumo biográfico, Bretas não podia ser pessoa leviana. Devia, ao contrário, ser homem reto, merecedor de confiança.

A ele devemos a publicação no Correio Oficial de Minas, ns. 169 e 170, de 19/3/1858 e 20/3/1858, dos *Traços biográficos relativos ao finado Antônio Francisco Lisboa*. Esse resumo biográfico do Bretas foi transcrito posteriormente na Revista do Arquivo Público Mineiro, vol. I, de 1896, p. 169/174; na obra de Gastão Penalva *O Aleijadinho de Vila Rica*; na publicação n° 15 da Diretoria do PHAN. Foi ainda publicado em reprodução fotografada do texto na revista *Barroco*, B.H., n° 2, entre às páginas 100 e 101.

Quase todas as obras já publicadas sobre o Aleijadinho têm, como base, a publicação acima referida.

Devido a essa publicação, foi o nome de Rodrigo Bretas proposto e aprovado como sócio correspondente do Instituto Histórico e Geográfico Brasileiro, do Rio.

O mesmo *Correio Oficial de Minas*, na edição de 15 de novembro de 1858, publica uma nota sobre a admissão de Rodrigo José Ferreira Bretas no quadro de sócios correspondentes do IHGB, como prova do mérito do trabalho biográfico sobre o escultor mineiro, o Aleijadinho, "que há pouco publicamos nesta folha e *cujo original mais correto*, por nosso intermédio, foi oferecido ao Instituto pelo Sr. Bretas".

Pois bem, publicamos a seguir o *original mais correto* que o Sr. Bretas ofereceu ao Instituto Histórico do Rio e de que, por gentileza de um confrade, Sr. Avertano Cruz, obtivemos cópia-xerox. Eis, pois, trazidos a público pela primeira vez (supomos) os *Traços biográficos relativos ao finado Antônio Francisco Lisboa, distinto escultor mineiro, mais conhecido pelo apelido de Aleijadinho.*[54]

"Antônio Francisco Lisboa nasceu a 29 de agosto de 1730, no arrabalde desta Cidade, que se denomina — O Bom Sucesso — pertencente à freguesia de Nossa Senhora da Conceição de Antônio Dias. Filho natural de Manuel Francisco da Costa Lisboa, distinto arquiteto português, teve por mãe uma africana ou crioula de nome Isabel, escrava do mesmo Lisboa, que o libertou por ocasião de fazê-lo batizar. Antônio Francisco Lisboa era pardo escuro, tinha voz forte, a fala arrebatada e o gênio agastado; a estatura era baixa, o corpo cheio e mal configurado, o rosto e a cabeça redondos, a testa volumosa, o cabelo preto e anelado, o da barba cerrado e basto, a testa larga, o nariz regular e algum tanto ponteagudo, os beiços grossos, as orelhas grandes e o pescoço curto. Sabia ler e escrever e não consta que tivesse frequentado alguma outra aula além da de primeiras letras, embora alguém julgue provável que tivesse frequentado a de Latim.

O conhecimento que tinha do desenho, de arquitetura e escultura fora obtido na escola prática de seu pai e talvez na do desenhista João Gomes Batista que, na Corte do Rio de Janeiro recebera as lições do acreditado artista Vieira e era empregado como abridor de cunhos da Casa de Fundição de ouro desta Capital. Depois de muitos anos de trabalho, tanto nesta cidade como fora dela, sob as vistas e risco de seu pai, que até então era tido na província como o primeiro arquiteto, encetou Antônio Francisco Lisboa a sua carreira de mestre de arquitetura e escultura e nesta qualidade excedeu a todos os artistas deste gênero que existiram no seu tempo.

Até a idade de 47 anos em que teve um filho natural ao qual deu o mesmo nome de seu pai, passou a vida no exercício de sua arte, cuidando sempre em ter boa mesa, e no gozo de perfeita saúde; e tanto que era visto muitas vezes tomando parte nas danças vulgares. De 1777 em diante, as moléstias provindas talvez em grande parte de excessos venéreos começaram a atacá-lo fortemente. Pretendem uns que ele sofrera mal epidêmico que sob o nome de zamparina pouco antes havia grassado nesta província, e cujos resíduos, quando o doente não sucumbia, eram quase infalíveis deformidades e paralisias: e outros que nele se havia complicado o humor gálico com o escorbútico. O certo é que ou por ter negligenciado a cura do mal no seu começo, ou pela força invencível do mesmo, Antônio Francisco perdeu todos os dedos dos pés, do que resultou não poder andar senão de joelhos; os das mãos atrofiaram-se e curvaram e mesmo chegaram a cair, restando-lhe somente, ainda assim quase sem movimento, os polegares e os índices. As fortíssimas dores que de contínuo sofria nos dedos e a acrimônia do seu humor colérico o 'levavam por vezes ao excesso de cortá-los ele próprio, servindo-se de formão com que trabalhava. [a]

As pálpebras inflamaram-se, e permanecendo neste estado, ofereciam à vista sua parte interior; perdeu quase todos os dentes e a boca entortou-se como sucede frequentemente ao estuporado, o queixo e lábio inferiores abateram-se um pouco; assim o olhar do infeliz adquiriu certa expressão sinistra e de ferocidade que chegava mesmo a assustar a quem quer que o encarasse inopinadamente. Esta circunstância e a tortura da boca o tornaram de um aspecto asqueroso e medonho.[b]

Quando em Antônio Francisco se manifestaram os efeitos de tão terrível enfermidade, consta que certa mulher de nome Helena moradora na Rua do Areião ou Carrapixo desta Cidade dissera que ele havia tomado uma grande dose de Cardina[c] (assim denominava a substância a que se referia), com o fim de aperfeiçoar seus conhecimentos artísticos e que daí lhe havia provindo tão grande mal.

A consciência que tinha Antônio Francisco da desagradável impressão que causava sua fisionomia o tornava intolerante e mesmo iroso para com os que pareciam observá-lo de propósito, entretanto era ele alegre e jovial entre as pessoas de sua intimidade. Sua prevenção contra todos era tal que ainda com as maneiras agradáveis de tratá-lo e com os próprios louvores tributados a sua perícia de artista, ele se molestava, julgando ironias e expressivas de mofa e escárnio todas as palavras que nesse sentido lhe eram dirigidas. Nestas circunstâncias, costumava trabalhar às ocultas debaixo de uma tolda ainda mesmo que houvesse de fazê-lo dentro dos templos. Conta-se que um General (talvez D. Luís da Cunha Menezes) achando-se em certo dia a presenciar de perto seu trabalho, fora obrigado a retirar-se pelo incômodo que lhe causavam os granitos de pedra em que escultava o nosso artista e que este deliberadamente fazia cair sobre o importante espectador.

Possuía um escravo africano de nome Maurício que trabalhava como entalhador e o acompanhava por toda a parte; era este que adaptava os ferros e o macete às mãos imperfeitas do grande escultor que, desde esse tempo ficou sendo geralmente conhecido pelo apelido de o Aleijadinho. Tinha um certo aparelho de couro ou madeira continuamente aplicado aos joelhos e neste estado admirava-se a coragem e agilidade com que ousava subir pelas mais altas escadas de carpinteiro.

Maurício era sempre meeiro com o Aleijadinho nos salários que este recebia por seu trabalho. Era notável este escravo: tanta fidelidade a seus deveres, sendo que entretanto tinha por senhor um indivíduo até certo ponto fraco e que muitas vezes o castigava rigorosamente com o mesmo macete que lhe havia atado às mãos.

Além de Maurício, tinha ainda o Aleijadinho dois escravos de nomes Agostinho e Januário, aquele era também entalhador e este que lhe guiava o burro, em que andava e nele o colocava.

Ia à missa sentado em uma cadeira tirada de um modo particular por dois escravos, mas quando tinha de ir à matriz de Antônio Dias, a que estava contígua à casa em que residia, era levado às costas por Januário. Depois da fatal enfermidade que o acometera, trajava uma sobrecasaca de pano grosso azul, que lhe descia até abaixo dos joelhos, calça e colete de qualquer fazenda, calçava sapatos pretos de forma análoga aos pés e trazia, quando a cavalo, um capote também de pano preto com mangas, gola em pé e cabeção e um chapéu de lã parda braguês, cujas abas estavam presas à copa por dois colchetes.

O cuidado de furtar-se às vistas de pessoas estranhas dera-lhe o hábito de ir de madrugada para o lugar em que tinha de trabalhar e voltar à casa depois de fechada a noite e quando devia fazê-lo antes, notava-se-lhe algum esforço para que a marcha do animal fosse apressada e assim se frustrasse o empenho de alguém que sobre ele quisesse demorar suas vistas.

Entrando-se agora na apreciação do mérito do Aleijadinho, como escultor e entalhador, tanto quanto pode fazê-lo quem não é profissional na matéria e à vista somente das obras que deixou na capela de São Francisco de Assis desta Cidade, cuja planta é sua, reconhece-se que ele mereceu a nomeada de que gozou, atendendo-se principalmente ao estado das artes no seu tempo, a falta que sentiu de mestres científicos e dos princípios indispensáveis a quem aspira à máxima perfeição nos referidos gêneros, e sobretudo às desvantagens contra as quais ultimamente lutava em consequência da perda de membros necessários à execução de seus trabalhos.

São obras do Aleijadinho a talha e a escultura praticadas no frontispício da referida capela, os dois púlpitos, o chafariz da sacristia, as imagens das três Pessoas da Santíssima Trindade e dos anjos que se veem no cimo do altar-mor, a talha deste e bem assim a escultura alusiva à ressurreição de Cristo que se vê na frente da urna do altar-mor, a figura do Cordeiro que se acha sobre o sacrário e finalmente toda a escultura do teto da capela-mor.

Apenas atenta-se para estes trabalhos, depara-se logo com o gênio incontestável do artista, mas não se deixa de reconhecer também que ele foi melhor inspirado que ensinado e advertido; por que todo o seu desenho ressente-se às vezes de alguma imperfeição.

No relevo que representa São Francisco de Assis recebendo as chagas vê-se que ele tem no corpo e no semblante a atitude e a expressão próprias de uma situação tão importante.

Junto ao santo vê-se esculpida uma açucena cujas hastes caem tão lânguidas e pois tão naturalmente que por isto não se pode deixar de vitoriar o artista. Na frente do púlpito que fica ao lado esquerdo do templo, para quem nele entra pela porta principal, vê-se Jesus Cristo sobre uma barca pregando às turbas no mar Tiberíades. Os vultos que representam o povo têm o ar de quem presta séria atenção mas o Salvador não tem aí a Majestade que se divisava sempre no seu rosto.

Na frente do púlpito do lado oposto acha-se representado um outro assunto tirado do Velho Testamento. É o profeta Jonas no ato de ser lançado ao mar, e prestes a ser engolido por uma baleia que, faminta, o aguarda.

Eis o resumo da respectiva legenda: Jonas achava-se embarcado quando sobreveio uma tempestade que ameaçava submergir o navio e tendo alguém pensado que era isto castigo do Senhor infligido a algum pescador que nele se achasse, o profeta denunciou o delito que havia cometido, deixando de ir pregar na cidade de Nínive, como o mesmo Senhor lhe havia ordenado, e pediu que o lançassem ao mar, a fim de serenar a tempestade.

Este grupo parece bem desempenhado. Aos lados de cada um dos púlpitos veem-se dois dos quatro apóstolos evangelistas, cujos nomes são indicados pelas figuras alegóricas da visão do profeta Ezequiel a saber o anjo junto a São Mateus, o leão a São Marcos, o boi a São Lucas e a água a São João.

Todos eles têm o ar de quem recebe as divinas inspirações.

No chafariz vê-se bem escultada a imagem da Fé, a qual, com a expressão vaga de cegueira que lhe é própria, apresenta num retábulo o seguinte pentâmetro: *Haec est ad coelum, quae, via ducit oves.* Abaixo e proximamente à pia, vê-se de um e outro lado, mãos, pescoço e rosto de um cervo, por cuja boca deve correr água. O retábulo que os encobre oferece à vista o seguinte hexâmetro: *Ad Dominum curro, sitiens, ut cervus ad undas*. Juízo igualmente favorável se deve fazer da execução das demais imagens e esculturas em vulto ou em relevo, que saíra das mãos do mesmo artista, e acham-se na referida capela.

Também é obra do Aleijadinho a imagem de São Jorge, que anualmente costuma sair a cavalo na procissão de *Corpus Christi* nesta cidade.

A respeito da encomenda desta obra deu-se o seguinte fato: O General D. Bernardo José de Lorena, atendendo a que era mui pequena a imagem do dito santo que então havia, deu ordem a que viesse à sua presença o Aleijadinho que devia

9. Adro dos Profetas — Profeta Amós
Santuário do Bom Jesus de Matozinhos — Congonhas

ser encarregado de construir outra. O estatuário compareceu em palácio, depois de muitas instâncias para o fazer. Logo que o viu, o Coronel José Romão, Ajudante-de-Ordens do General exclamou recuando: Feio homem! ao que disse em tom áspero Antônio Francisco, ameaçando retirar-se: É para isto que S. Exª ordenou-me que aqui viesse? O General que logo apareceu, tranquilizou o artista e pôde entrar com ele em detalhes relativos à imagem de São Jorge, que declarou devia ser de grande vulto, e tendo tomado para exemplo o dito Ajudante-de-Ordens que se achava presente, o Aleijadinho, voltando-se para este, e retribuindo a ofensa, dele, disse duas vezes meneando a cabeça e com ar displicente: Forte arganaz! Forte arganaz!

Pretende-se que quando o artista deu por acabada a imagem não houve quem nela deixasse de reconhecer uma cópia fiel do dito José Romão, que formando o mesmo juízo, em vão opôs-se a que ela saísse nas procissões.

Acrescentam a isto que o talento do retratista era nele mui pronunciado e que várias outras imagens construiu de propósito representando exatamente vulto e feições de certas pessoas.

Nas esculturas do Aleijadinho observa-se sempre, mais ou menos bem sucedida, a intenção de um verdadeiro artista, cuja tendência é para a expressão de um sentimento, ou de uma ideia, alvo comum de todas as artes.[d] Faltou-lhe, como já disse, o preceito da arte, mas sobrou-lhe inspiração do gênio e do espírito religioso.[e]

No ano de 1790, era este artista julgado como se verá do seguinte trecho dum artigo escrito pelo Capitão Joaquim José da Silva, 2° vereador da Câmara Municipal da cidade de Mariana no dito ano, e que se lê no respectivo livro de registro de fatos notáveis estabelecido pela Ordem régia de 20 de julho de 1782.

• • •

A Matriz de Ouro Preto arrematada por João Francisco d'Oliveira pelos anos de 1720, passa por um dos edifícios mais belos, regulares e antigos da Comarca. Este templo talvez desenhado pelo sargento-mor Engenheiro Pedro Gomes, foi construído e adornado interiormente por Antônio Francisco Pombal, com grandes colunas da Ordem Coríntia, que se elevam sobre nobres pedestais a receber a cimalha real com seus capitéis e ressaltos no gênio de Scamozzi. Com maior grandeza e soberba arquitetura traçou Manuel Francisco Lisboa[f], irmão daquele Pombal, de 1727 por diante, a igreja Matriz da Conceição da mesma vila, com 12 ou 13 altares, e arcos majestosos debaixo de preceitos de Vinholla. Mas é inferior à Catedral e Matriz de Ribeirão do Carmo, arrematada em 1734 por Antônio Coelho da Fonseca, cujo prospecto e fachada corresponde à galeria, torres e mais decorações da arte. Quem entrá pelo seu pórtico e observa a distribuição dos corredores e naves, arcos da ordem Compósita, janelas, óculos e barretes da capela-mor que descansam sobre quatro quartões ornados de talha, capitéis e cimalha lavrada, não pode desconhecer a beleza e exação de um desenho tão bem pensado. Tais são os primeiros modelos em que a arte excedeu a matéria. Pelos anos de 1715 ou 1719, foi proibido o uso do cinzel para se não dilapidarem os quintos de Sua Majestade, e por ordem régia de 20 de agosto de 1738, se empregou o escopro de Alexandre Alves Moreira e seu sócio na cantaria do palácio do governo alinhado toscamente pelo engenheiro José Fernandes Pinto Alpoim, com baluartes, guaritas, calabouço, saguão e outras prevenções militares. Nesta casa forte e Hospital da Misericórdia ideado por Manuel Francisco Lisboa com ar jônico continuou este grande mestre as suas lições práticas de arquitetura que interessaram a muita gente. Quanto porém excedeu a todos no desenho o mais doce e mimoso João Gomes Batista, abridor de Fundição, que se educou na Corte com o nosso imortal Vieira: tanto promoveu a cantaria José Ferreira dos Santos, na igreja do Rosário dos pretos de Mariana por ele riscada: e nas igrejas de São Pedro dos Clérigos, e Rosário de Ouro Preto delineadas por Antônio Pereira de Souza Calheiros ao gosto da rotunda de Roma. Com este José Pereira ilustraram-se outro José Pereira Arouca, continuador do seu desenho e obra da Ordem Terceira desta cidade, cuja esbelta cadeia se deve à sua direção, e Francisco de Lima, hábil artífice de outra igreja franciscana do Rio das Mortes. O aumento da arte se figura de sorte que a Matriz de Caeté, feita por Antônio Gonçalves Barcarena, debaixo de risco do sobredito Lisboa, cede nas decorações e medidas à Matriz de Morro Grande, delineada por seu filho Antônio Francisco Lisboa, quando este homem se excede mesmo no desenho da indicada igreja do Rio das Mortes, em que se reunem as maiores esperanças.

Este templo e a suntuosa cadeia de Vila Rica começada por um novo Manuel Francisco em 1785, com igual segurança e majestade me levariam mais longe se os grandes estudos e modelos de escultura feitos pelo filho e discípulo do antigo Manuel Francisco Lisboa e João Gomes Batista não prevessem a minha pena. Com efeito, Antônio Francisco, o novo Praxíteles, é que honra igualmente a arquitetura e a escultura. O gosto gótico de alguns retábulos transferidos já dos primeiros alpendres e nichos de Piedade já tinha sido emendado pelo escultor José Coelho de Noronha e estatuários Francisco Xavier e Filipe Vieira, nas matrizes desta cidade e Vila Rica. Os arrogantes altares da Catedral, cujas cartelas, colunas, Atlantes, festões e tarjas respiram o gosto de Frederico; a distribuição e talha do coro de Ouro Preto relevada em partes, as pilastras, figuras e ornamentos da capela-mor, tudo confirma o melhor gosto do século passado; Jerônimo Félix e Filipe Vieira, êmulos de Noronha e Xavier, excederam na exação do retábulo principal da Matriz de Antônio Dias da mesma vila o confuso desenho do Dr. Antônio de Souza Calheiros, Francisco Vieira Serval e Manuel Gomes, louvados da obra, pouco diferem de Luís Pinheiro e Antônio Martins que hão feito as talhas e imagens dos novos templos. Superior a tudo e singular nas esculturas de pedra em todo o vulto ou meio relevado, em o debuxo e ornatos irregulares do melhor gosto francês é o sobredito Antônio Francisco. Em qualquer peça sua que serve de realce aos edifícios mais elegantes, admira-se a invenção, o equilíbrio natural, ou composto, a justeza das dimensões, a energia dos usos e costumes, e a escolha e disposição dos acessórios com os grupos verossímeis que inspira a bela natureza.

Tanta grandiosidade se acha depositada em um corpo enfermo que precisa ser conduzido a qualquer parte, e atarem-se-lhe os ferros para poder obrar.

• • •

Na época em que se refere o trecho transcrito, algumas artes liberais estavam talvez em maior florescimento do que hoje nesta província. Ou porque à falta de liberdade política, como sucede ainda na Itália, a tendência dos espíritos ou a sua atividade não podia ter outro alvo, ou porque o espírito religioso dos colonos, favorecido pela riqueza de então, um dos mais poderosos meios de realizar grandes coisas, dava ocasião ou incentivo eficaz para semelhantes estudos, o certo é que os nossos antepassados deixaram-nos em escultura, música e arquitetura monumentos dignos de uma civilização assaz adiantada. Sabe-se que o cristianismo é eminentemente civilizador: a ele se deveu na Europa a restauração das letras e das ciências, que a invasão dos bárbaros parecia ter por uma vez aniquilado: não é menos certo que o entusiasmo religioso, como todas as paixões nobres e elevadas é inspirador de grandiosas coisas: e pois muito natural era que a escultura e arquitetura sacras tivessem entre nós o desenvolvimento que lhes reconhecemos. O fervor piedoso dos referidos tempos tem o seu tipo na grandeza e magnificência quase fabulosas (bem que entremeadas de cenas, ou alegorias profanas) da trasladação do Santíssimo Sacramento da igreja do Rosário para a Matriz nova de Ouro Preto, e que se intitulou *Triunfo Eucarístico*.

O Aleijadinho exerceu sua arte nas capelas de São Francisco de Assis, de Nossa Senhora do Carmo e na das Almas desta cidade, na Matriz e capela de São Francisco da cidade de São João Del Rei; nas matrizes de São João do Morro Grande e da cidade de Sabará; na capela de São Francisco de Mariana; em ermidas das fazendas de Serra Negra, Tabocas e Jaguara do dito termo de Sabará; e nos templos de Congonhas deste último termo e de Santa Luzia. Há quem afirme que é em Congonhas do Campo e em São João Del Rei que se devem procurar suas obras primas, fazendo especial menção da magnífica planta da capela de São Francisco de Assis daquela cidade e do bem acabado da escultura e talha do respectivo frontispício.

Desde que um indivíduo qualquer se torna célebre e admirável em qualquer gênero, há quem, amante do maravilhoso, exagere indefinidamente o que nele há de extraordinário e das exagerações que se vão depois sucedendo e acumulando, chega-se a compor finalmente uma entidade verdadeiramente ideal. É isto o que, pode-se dizê-lo, até certo ponto, aconteceu a Antônio Francisco, de quem se conta o seguinte caso.

Tendo ido à Corte do Rio de Janeiro, pediu que se lhe confiasse a construção da porta principal de certo templo que se concluía. Foi isto julgado muita ousadia da parte de um desconhecido, e contra o qual depunham as aparências. Entretanto, foi-lhe encarregada a obra. Concluída uma das metades da porta, o artista em certa noite, e furtivamente, a colocou no competente lugar. No dia seguinte foi o seu trabalho julgado acima de todos os outros do mesmo gênero, e não havendo artista que se animasse a completar a porta em vista do extraordinário mérito de sua execução, foi mister que para o fazer se procurasse por toda a cidade o desconhecido gênio que, afinal, e depois de muitos esforços, foi encontrado.[(g)]

Com o mesmo fim de demonstrar a perícia deste escultor, conta-se que algumas mulheres, tendo ido a Matozinhos de Congonhas do Campo, na ocasião em que passavam por junto do Passo da Ceia, cumprimentaram as figuras que ali representam Cristo com os apóstolos, o que a ser devido somente ao bem acabado da escultura, nos induziria a comparar as obras do nosso patrício com o cacho de uvas de Zeuxis (famoso pintor da Antiguidade) que os pássaros feriam com o bico, crendo serem frutos reais.

O Aleijadinho não ajuntou fortuna alguma pelo exercício de sua arte, além do que partilhava igualmente o que ganhava com o escravo Maurício[(h)], era descuidado na guarda de seu dinheiro, que de contínuo roubavam-lhe, e muito dispendia em esmolas aos pobres.

Tendo passado cartas de liberdade aos escravos acima declarados e bem assim a uma escrava de nome Ana, as quais tinha fechadas em uma caixa, os interessados, lhas roubaram para talvez as lançarem no livro de notas. É certo, entretanto, que estes libertos não entraram no gozo da liberdade durante a vida de seu benfeitor.[(i)]

Antônio Francisco trabalhava a jornal de meia oitava de ouro por dia. Quando concluiu as obras da capela do Carmo, das quais se havia primeiramente encarregado, queixou-se de ter recebido o seu salário em ouro falso. Posteriormente, pelos anos de 1811 a 1812, um seu discípulo de talha de nome Justino, tendo-se encarregado da construção de altares na dita capela pôde obter depois de muitas instâncias que ele fosse inspeccionar e dirigir os trabalhos, e foi residir na casa que então existia contígua e pertencente àquele Santuário. Por ocasião de dias santos de Natal, Justino retirou-se para a Rua do

Alto da Cruz, onde tinha a família, deixando ali seu mestre que durante muitos dias, por descuido do discípulo, não teve aquele tratamento e cuidados a que estava acostumado. Com este fato coincidiu a de perder quase inteiramente a vista o nosso famoso escultor.

Neste estado, recolheu-se a sua casa sita na rua detrás de Antônio Dias [j], da qual depois de algum tempo mudou-se definitivamente para a de sua nora Joana Francisca de Araújo Correia, que dele tratou caridosamente até o seu falecimento, o qual teve lugar dois anos depois de seus últimos trabalhos de inspecção na capela do Carmo, a 18 de novembro de 1814, tendo de idade 84 anos, 2 meses e 21 dias.

Justino só tinha pago a seu mestre uma mui pequena parte do salário de um ano, que lhe pertencia e pois desde então, até o fim de sua vida a mofina do mestre nos seus solilóquios era exigir do discípulo o que lhe era devido. Durante o tempo em que esteve entrevado, frequentes vezes apostrofava a imagem do Senhor que tinha em seu aposento, e tantas vezes havia esculpido, pedindo-lhe que sobre ele pusesse os seus divinos pés.

É natural que então a vida de sua inteligência em grande parte consistisse em recordações de seu brilhante passado de artista: ele se transportaria muitas vezes em espírito ao Santuário de Matozinhos para ler as profecias no semblante dos inspirados do Velho Testamento, cujas figuras tinham sido ali obradas por seu escopro, memorar nos três Passos da Paixão que escultuara, a bondade e a resignação do Salvador quando preso e osculado pelo Apóstolo traidor, a mais solene das Ceias, ou a instituição do Sacramento da Eucaristia e a angústia da Vítima Celestial contrastando o sono profundo dos três Apóstolos no Horto de Getsêmani!

Vive ainda a nora do Aleijadinho e bem assim que em mau estado existe também a casa em que este faleceu: num dos pequenos departamentos interiores dela, vê-se o lugar em que, deitado sobre um estrado (três tábuas sobre dois toros ou cepos de pau pouco ressaltados do pavimento térreo) jazeu por quase dois anos, tendo um dos lados horrivelmente chagado, aquele que por suas obras de artista distinto tanto havia honrado a sua pátria!

Tanta miséria ousando aliar-se a tanta poesia! Antônio Francisco acha-se sepultado na Matriz de Antônio Dias desta cidade. Descansa em uma sepultura contígua e fronteira ao altar da Senhora da Boa Morte, de cuja festa pouco antes tinha sido juiz.

Rodrigo José Ferreira Bretas”

a) - Colocava convenientemente o formão sobre o dedo que tinha de cortar e ordenava a um de seus escravos que eram oficiais ou aprendizes de talha que sobre ele desse uma forte pancada ou macete!

b) - Conta-se que tendo comprado um preto boçal de nome Januário atentara este contra a própria vida servindo-se de uma navalha, tendo dito antes que o fazia para não ser obrigado a servir a um senhor tão feio. O mal foi evitado a tempo e mais tarde foi este preto um bom escravo.

c) - Pretendem alguns que a charlatanaria desse tempo anunciava à venda uma substância que tinha a virtude de aumentar as forças da inteligência, ou de extinguir a capacidade do sentir por um órgão e dar assim ocasião a que se tornasse mais ampla a que era relativa aos outros.

d) - A escultura, como as demais artes, começou a ser mais sentimental e ideal em França no Século XVII, depois que a Filosofia espiritualista de Descartes prevaleceu sobre a sensualista de Loke.

e) - Entusiasta da escultura sagrada, sua leitura favorita era a da Bíblia. Também se diz que lia autores de Medicina.

f) - Embora a diferença do agnome, há fundamento para dizer-se que o nome - Manuel Francisco Lisboa — e o de Manuel Francisco da Costa que se acha no assento de batismo relativo ao Aleijadinho pertencem ao mesmo indivíduo. No dito assento, suprimiu-se o cognome Lisboa, e no trecho que acima se transcreve o agnome Costa. O nome pois do pai do Aleijadinho era Manuel Francisco da Costa Lisboa.

g) - É certo que Antônio Francisco ali esteve em 1776 (interessava-se então, numa apelação interposta por Narcisa de tal, cabra forra da qual havia ele tido o filho de que já se tratou); mas uma pessoa a quem ele contava todas as circunstâncias de sua viagem e estada na Corte, não dá notícia deste fato.

h) - Este escravo faleceu em Congonhas do Campo, quando seu senhor escultava os profetas e os três Passos da Ceia da Paixão e do Horto que se veem junto ao Santuário de Matozinhos.

i) - Manuel Francisco Lisboa tinha da mãe do Aleijadinho mais dois filhos e alguns outros havidos de legítimo matrimônio. Entre estes o Padre Félix Antônio Lisboa que faleceu nesta cidade a 30 de maio de 1838. Tinha-se aplicado à estatuária sob as vistas do Aleijadinho que dele dizia que só podia escultar carrancas nunca imagens. Entretanto, diz-se ter sido obra sua sofrivelmente executada a imagem de São Francisco, que existe na respectiva capela. Afirma-se que o dito Padre Félix fora instruído para o fim de receber ordens sacras a expensas do mesmo Aleijadinho, a quem tratava com deferência. Manuel. Francisco era natural da freguesia do nome de Jesus de Odivelas do Patriarcado de Lisboa e sua mulher, Antônia Maria de São Pedro o era da Vila da Horta da Ilha de Faial.

j) - Esta casa foi ultimamente demolida e o respectivo terreno acha-se fronteiro aos fundos da casa do cidadão Major Joaquim José d'Oliveira.

AS OBRAS DO ALEIJADINHO

O conjunto das obras de Congonhas constitui um capítulo à parte. Praticamente, este conjunto representa o coroamento das obras do genial artista mulato. "A estatuária, que povoa o adro e as capelas dos Passos, representa a obra da maturidade de Antônio Francisco Lisboa", escreveu Carlos Del Negro.[55]

Ao relacionar as obras realizadas pelo Aleijadinho, não vamos valer-nos da lista constante da Publicação nº 15 da Diretoria do PHAN, pois, apesar da declaração — "Autoria comprovada por documentação da época" — há muita fantasia e muito exagero; aquela declaração não representa a verdade.

Tentamos anotar a documentação citada por Zoroastro Passos, Cônego Trindade, Sylvio de Vasconcelos, nos seus vários estudos publicados em revistas, jornais etc., mas desistimos, pois que encontramos, no livro de Geraldo Dutra de Morais, uma relação feita com critério das obras do genial artista, "todas elas comprovadas por documentos dos arquivos". Com a devida vênia, extraímos da obra de Geraldo Dutra de Morais a relação seguinte:

Ouro Preto:

Hospício da Terra Santa - Projeto e execução do chafariz em esteatita, situado nos fundos do monastério,

Palácio dos Governadores - Risco em "sanguínea" do chafariz interno (1752); feitio de uma mesa de jacarandá preto; dois bancos de encosto e dois bancos torneados (1761), peças não identificadas;

Chafariz do Pissarrão - Projeto do chafariz situado no Alto da Cruz, antiga Rua

Larga, proximidade da igreja de Santa Ifigênia (1761); busto de Afrodite no remate do frontão;
Igreja de N. Sª do Carrno - Modificação do projeto original (1770); altares colaterais de N. Sª da Piedade (1807) e de São João Batista (1809); acréscimos dos camarins e guarda-pós dos altares de Santa Quitéria e Santa Luzia; Casa do Açougue Público - Projeto e especificação do açougue (1771), obra demolida em 1797;
Igreja de São Francisco de Assis - Esculturas nos tambores ogívais dos púlpitos, em esteatita, representando episódios bíblicos (1772); barrete da capela-mor (1773-1774); projeto da atual portada (1774-1775); risco da tribuna do altar-mor (1778-1779); feitio das pedras d'ara (1789); retábulo da capela-mor (1790-94) (elaborado com a colaboração dos entalhadores Henrique Gomes de Brito, Luís Ferreira da Silva e Faustino da Silva Correia); projeto de dois altares colaterais consagrados a S. Lúcio e Santa Bona (executados com alterações por Vicente Alves da Costa, em 1829);
Igreja de S. José - Projeto do retábulo da capela-mor (1773, posteriormente alterado); modificações introduzidas no risco da fachada (1772);
Igreja das Mercês e Perdões - Risco da primitiva capela-mor: revisão do projeto e verificação final da obra (1775-78), que foi depois demolida em 1805;
Matriz de N. Sª do Pilar - Feitura de 4 cabeças de anjos, em madeira, para o andor da Irmandade de S. Antônio (1810); em 1865, essas duas peças foram adaptadas ao oratório da sacristia.

Sabará:

Igreja de N. Sª do Carrno - Trabalhos não especificados (1770, 1774 e 1781); avaliação das obras de acréscimos executados na igreja por Tiago Moreira, mestre-de-obras (1778); feitio de imagens, em tamanho natural, de S. Simão Stock e S. João da Cruz (1779); planta das grades da igreja (1779); execução das grades correspondentes ao corpo da igreja e coro (balaustrada em jacarandá); feitio dos púlpitos, portas principais e soalho das campas (1781-1782); projeto do retábulo da capela-mor (1806); parecer sobre a obra do retábulo (1806).

Rio Pomba:

Parecer sobre o projeto da capela-mor (1771).

Barão de Cocais (antigo S. João Batista do Morro Grande):

Examinador (louvado) das obras arrematadas por Miguel Gonçalves de Oliveira (1785).

Tiradentes:

Risco do frontispício da igreja (1810). [56]

Com relação ao último registro, o risco do frontispício da Matriz local, cumpre assinalar que o Livro de Receita e Despesa da Irmandade do Santíssimo Sacramento da Matriz de S. Antônio da antiga vila de São José Del Rei, contém, na parte

5. Adro Profetas — Profeta Jonas (Detalhe da Baleia)
Santuário do Bom Jesus de Matozinhos — Congonhas

referente ao ano de 1810, a seguinte anotação: "Pelo que paguei ao Aleijadinho do risco do frontispício ... "O valor pago já não se lê mais. Nesse assentamento, há um aspecto curioso. Na mesma folha, lê-se: "Pelo que paguei a José Moreira Dias de obras..."; "Que paguei a Antônio Marques pto. de limpar a prata..." "Que paguei a Louriano de ajudar a tirar contas..." etc. "de jornais do preto Francisco José de Santana ..." "Que paguei a Joaquim Félix a conta de cal..." etc. Isto é, o único assentamento em que não figura o nome, mas apenas o apelido, é o Aleijadinho. Seria devido à existência no lugar de outro Antônio Francisco Lisboa? (Ver no capítulo final, *Outros problemas históricos*, um Antônio Francisco Lisboa, vereador na antiga Vila de São José Del Rei).

Como fizeram outros autores, também o historiador Geraldo Dutra de Morais publicou longa relação de *Trabalhos atribuídos sem comprovação documental*. Essa relação é enorme. Imensa. Impossível a um homem normal, não doente, realizar tantas obras e em tão diversos lugares. O próprio Geraldo Dutra de Morais comenta, no final: "É, sem dúvida, enorme e exageradíssimo o montante das obras atribuídas ao Aleijadinho. Para executá-las, caso fossem todas de sua autoria, teria sido obviamente necessário que a vida de Antônio Francisco Lisboa se prolongasse por dilatados anos, de produtiva e ininterrupta atividade profissional. Urge, pois, promover uma triagem dos trabalhos de atribuição duvidosa ou incorreta, mediante rigoroso exame técnico, a fim de apurar, com a maior exatidão possível, o que lhe é realmente devido".[57]

O pior é que a lista de trabalhos atribuídos ao Aleijadinho continua crescendo. Em 1982, os jornais publicaram, com o devido destaque, a descoberta de uma grande imagem atribuída ao grande escultor.

Não nos esqueçamos também de que houve outros artistas, muitos outros artistas, em Minas, no Século XVIII.

O CONJUNTO BARROCO DE CONGONHAS

Entre os trabalhos realizados pelo genial artista, destaca-se de maneira excepcional o conjunto barroco de Congonhas. Sobre as obras do Aleijadinho em Congonhas, escreveu Oswald de Andrade o seguinte poema:

"No anfiteatro das montanhas
os profetas do Aleijadinho
monumentalizam a paisagem.
As cúpulas brancas dos Passos
e os cocares revirados das palmeiras
são degraus da arte do meu país
onde ninguém subiu mais.

Bíblia de pedra-sabão
banhada no ouro das Minas".

Antônio Francisco Lisboa trabalhou, em Congonhas, de 1796 a 1805. De 1796 a 1799, dedicou-se a esculpir as imagens de madeira dos Passos da Paixão do Senhor. A partir de 1800, auxiliado por sua equipe, dedicou-se à confecção das estátuas dos profetas.

Nos Passos da Paixão, o Aleijadinho e sua equipe, de 1796 a 1799, dedicaram-se à execução das imagens das diversas cenas da Paixão, os chamados Passos, que são os seguintes:

1.° Passo – *A Ceia* – Para o homem de fé, como era o Aleijadinho, a Ceia representa o grande momento da instituição da Eucaristia. O evangelista S. Marcos relata: "Durante a refeição, Jesus tomou o pão e, depois de o benzer, partiu-o e deu-lhes, dizendo: "Tomai e comei, isto é o meu corpo". Em seguida, tomou o cálice, deu graças e apresentou-lhes e todos dele beberam. E disse-lhes: "Este é o meu sangue, o sangue da aliança, que será derramado por muitos".[58]

A Ceia esculpida em Congonhas consta de 15 figuras: Cristo, os doze apóstolos e dois serviçais. As oito figuras que se veem atrás da mesa, estão esculpidas apenas a meio corpo.

Durante a execução das 15 figuras da Ceia, morreu o escravo Maurício, o principal colaborador do Aleijadinho.

2.° Passo – *Agonia no Horto* – A cena representa a oração de Jesus no Jardim das Oliveiras, aonde foi em companhia de Pedro, Tiago e João. Ali, Cristo pôs- se a orar e, em seguida, foi ter com seus discípulos, e encontrou-os dormindo. Foi quando lhes disse: "Vigiai e orai para que não entreis em tentação, pois o espírito está pronto, mas a carne é fraca".[59]

Quatro figuras compõem a cena: Cristo e os três apóstolos adormecidos.

3.° Passo – *Prisão de Cristo* – É a cena assinalada pelo beijo de Judas. "O traidor havia combinado com os soldados este sinal: aquele que eu beijar, é ele. PrenDel o. Aproximou-se então de Jesus e disse: Salve, Mestre! e beijou-o".[60]

Segundo Germain Bazin, saíram das mãos do Aleijadinho três figuras: as de Cristo, de Judas e de S. Pedro. As demais, isto é, os soldados, terão sido construídas por algum discípulo. Este Passo consta de oito figuras.

4.° e 5.° Passos – *Flagelação e Coroação de Espinhos* – As duas cenas se acham reunidas na mesma capela. Na cena da Flagelação, aparecem cinco soldados, com aparência grotesca, muito ridícula mesmo, semelhantes a fantoches, que cercam a figura de Cristo amarrado a uma coluna.

Na cena da Coroação de Espinhos, sete soldados, com a mesma fisionomia de fantoches, rodeiam a Cristo coroado com a Coroa de Espinhos; um dos soldados segura uma placa com essas iniciais", "INRI".

6.° Passo – *Subida ao Calvário* – É a grande marcha, de quase um quilômetro, até o alto da colina; nessa marcha, carregando a Cruz, Cristo encontra Dimas, Simão Cirineu, o centurião romano, Madalena, João e Maria. A cena é descrita por todos os quatro evangelistas: Mateus, Marcos, Lucas e João.

Jesus, dirigindo-se às mulheres, que batiam no peito e o lamentavam, disse-lhes: "Filhas de Jerusalém, não choreis sobre mim, mas chorai sobre vós mesmas e sobre vossos filhos".[61]

O 6.° Passo é constituído de 15 figuras.

7.° Passo – *Crucificação de Cristo* – A cena, com 10 figuras ao todo, apresenta Cristo pregado na Cruz, entre os dois ladrões. No alto da Cruz do meio, numa tabuleta escrita em hebraico, latim e grego, lê-se "Jesus Nazareno Rei dos Judeus".

"Junto à Cruz de Jesus, estavam de pé sua mãe, a irmã de sua mãe, Maria, a mulher de Cleófas e Maria Madalena. Quando Jesus viu sua mãe e perto dela o discípulo que amava, disse a ela: "Senhora, eis aí teu filho". Depois disse ao discípulo: "Eis aí a tua mãe".[62]

As capelas em que se acham os Passos foram construídas em épocas diferentes. Saint-Hilaire, quando passou por Congonhas[63], no começo de 1818, registrou que haviam sido construídas três capelas dos Passos; mas apenas uma estava terminada internamente.

Quando Richard Burton esteve em Congonhas, em 1867, encontrou apenas quatro capelas, sendo de construção mais antiga apenas as duas primeiras. Eis o trecho do viajante inglês: "Subindo a colina,... cortando a praça pelo meio, há uma avenida de construções anãs, chamadas os Sete Passos. Os dois mais baixos são

9. Igreja do Bom Jesus de Matozinhos e Adro dos Profetas — Congonhas

10. Passo do Horto — Cristo (Detalhe)
Santuário do Bom Jesus de Matozinhos — Congonhas.

11. Adro dos Profetas (Detalhe) — Profeta Daniel (Posterior)
Santuário do Bom Jesus de Matozinhos — Congonhas

12. Adro dos Profetas (Detalhe) — Profeta Jeremias (1° Plano)
Santuário do Bom Jesus de Matozinhos — Congonhas

13. Adro dos Profetas (Detalhe) — Profeta lsaías (Detalhe)
Santuário do Bom Jesus de Matozinhos — Congonhas

14. Adro dos Profetas — Profeta Jeremias (Detalhe)
Santuário do Bom Jesus de Matozinhos — Congonhas

15. Adro dos Profetas — Profeta Amós
Santuário do Bom Jesus de Matozinhos — Congonhas

16. Igreja de São Francisco de Assis — Portada (Detalhe) A Visão de Alverne
Santuário do Bom Jesus de Matozinhos — Congonhas

antigos; o par seguinte é modesto e os três outros ainda serão construídos, quando forem suficientes as contribuições dos piedosos: estas últimas contêm dois dos catorze normais "Passos de Roma".[64]

No conjunto dos Passos, todos os entendidos em arte destacam a beleza excepcional das sete figuras de Cristo: na Ceia, no Jardim das Oliveiras, na prisão, na Flagelação, na Coroação de Espinhos, carregando a Cruz em direção ao Calvário e o crucificado.

Germain Bazin assinala a semelhança dessas imagens com outras estátuas de Cristo esculpidas anteriormente pelo Aleijadinho, nos púlpitos da igreja de S. Francisco de Assis (em pedra-sabão) e na do Carmo, de Sabará (em madeira). Eis como o conservador do Museu do Louvre se expressou: "As sete estátuas de Cristo distinguem-se de todo o resto por um tamanho cuidado de execução, que José Mariano, filho, chegou a supor que elas tivessem sido feitas por um artista vindo de Portugal. O fato, porém, de que se encontram nessas obras os traços morfológicos do Aleijadinho contradiz esse argumento; as mãos robustas, os dedos iguais, são exatamente os que o nosso artista dá a seus personagens; o tipo fisionômico de Cristo, com barba fina..."[65]. Resta explicar porque estas sete estátuas não têm os erros anatômicos que afetam os profetas do adro ... "Pense-se também que o Aleijadinho deve ter executado estas estátuas de Cristo com uma fé ardente, até mesmo como uma oração".

Realmente, José Mariano, filho, considerando que as capelas foram construídas bem depois, terminadas muitos anos depois da morte do genial artista, supôs que a demora tivesse sido motivada pela espera das imagens de Cristo, encomendadas em Portugal. São tão perfeitas e de tal beleza artística as imagens de Cristo, que José Mariano, filho, não podia conceber que um artesão, um mestiço, fosse capaz de construí-las.

A maravilhosa imagem do Senhor, na cena da Flagelação, escreveu José Mariano, filho, foi "desenhada com perfeito conhecimento anatômico e verdadeiro sentimento artístico". Essa figura de Cristo, que aparece nos sete Passos da Paixão, Pe. Heliodoro Pires descreveu-a como "aristocrática, alongada, o rosto comprido, nariz afinado, sobrancelhas arqueadas, os dedos longos e finos". Do total de 66 figuras do conjunto, muitas certamente teriam sido executadas pelos oficiais que constituíam a equipe do artista.

Lourival Gomes Batista, com aquela autoridade de mestre no assunto, assim se manifestou: "O Cristo no Horto ... veio a revelar, pelas suas possibilidades propriamente escultóricas, toda uma exaltação mística digna do maior e melhor barroco de todos os tempos e todos os lugares".[66]

Segundo o referido Autor, que é indiscutível autoridade em arte, a restauração das imagens dos Passos, com solventes e delicadíssimas raspagens, provocou a retirada de grossas escaras da cola, gesso e pigmentos acrescentados sobre a encarnação original, de autoria de Ataíde e de Francisco Xavier Carneiro. Comenta em seguida: "A restauração dos Passos devolveu-nos uma das mais importantes parcelas do barroco mineiro, ao mesmo tempo contribuindo para atestar insofismavelmente a perícia invulgar e a segurança de conceitos do artista colonial, o que é reafirmar a superioridade sem contraste da criação do Aleijadinho. Restabelecida a pintura original das estátuas, reorganizadas as peças em conjuntos compostos, tornou-se irrecusável a evidência de que só uma plêiade de artistas de primeira grandeza, altamente inspirados, altamente adestrados e, sobretudo, conscientes da função estética que desempenhavam, conseguiria realizar tal obra comum".[67]

Há um aspecto caricatural nas figuras dos soldados, que rodeiam a Cristo; segundo Germain Bazin, esse aspecto caricatural "é frequentemente considerado como um traço ridículo, que rebaixa esses Passos ao nível de arte popular. Existe aí, parece-me, um simbolismo bastante sutil: abjetos, estes seres não são nem dignos da arte, estando, assim, mergulhados numa espécie de inferno do disforme. O Aleijadinho, muito frequentemente, aliás, não se deu ao trabalho de esculpi-los ele mesmo; deve ter estabelecido certos modelos que foram reproduzidos mais ou menos desajeitadamente".[68]

Sylvio de Vasconcelos viu, na feiura da fisionomia dos soldados romanos, um ato intencional: "Na feiura das imagens dos soldados romanos que, por seus enormes narizes aduncos, representam também os judeus corresponsáveis pelo martírio divino, se expressa a torpeza do papel de algozes que desempenharam; nos defeitos das figuras dos apóstolos se traduz a covardia, a leviandade e o pouco de fé dos cristãos. A deficiência morfológica dos personagens secundários proporciona o contraste necessário ao destaque das imagens de Cristo, magnificamente esculpidas".[69]

Páginas adiante do seu livro, volta Sylvio de Vasconcelos a insistir: "O aspecto caricatural de algumas das figuras dos Passos da Paixão de Congonhas, naturalmente relegadas à execução de seus auxiliares, é intencional: visa a identificar o mal, com a ridícula feiúra dos pecadores, dela destacando-se, em crescente perfeição formal, os justos, cuja beleza culmina em Cristo".[70]

Depois de trabalhar de 1796 a 1799, no conjunto dos Passos, passou o Aleijadinho, em 1800, a outra tarefa, a dos profetas, na qual, juntamente com sua equipe, trabalhou até 1805. É claro que uma tarefa tão extensa quanto a da construção de 66 imagens de madeira dos Passos e, em seguida, a dos 12 profetas de pedra-sabão, o Aleijadinho só a enfrentaria auxiliado por sua equipe. Nos recibos que assinou, nos vários anos de trabalho em Congonhas, patenteia-se a presença dos seus oficiais. Em 1796, fez constar no recibo: "jornais de mim e de meus oficiais". No de 1798:"... vencemos eu e meus oficiais neste presente ano". No de 1800:"... eu e meus oficiais que comigo trabalham ..."

Nas estátuas defeituosas, com mãos deformadas, traços imperfeitos, vê-se a falha de alguns de seus auxiliares. Entretanto, o conjunto forma um quadro de rara beleza. Rodrigo M. F. de Andrade chama a atenção justamente para a impressão de unidade que lhe dava o conjunto das estátuas dos profetas: "Sempre me pareceu que as estátuas tinham sido todas concebidas e executadas pelo Aleijadinho. Tal é a impressão de unidade que sentimos diante daquelas esculturas".[71]

O próprio Germain Bazin registra uma série de defeitos em várias estátuas. José Mariano, filho, acha que, das doze figuras dos profetas, cinco, as de Daniel, Isaías, Joel, Jonas e Ezequiel foram "diretamente tratadas pelo grande mestre, tendo-lhe merecido especial cuidado a figura aristocrática do formoso Daniel, cujos caracteres biotipológicos se afastam nitidamente dos que prevalecem em todas as restantes figuras".[72]

Não importam os defeitos apontados. O conjunto deslumbra. A "Bíblia de pedrasabão" fascina e emociona. As estátuas dos profetas de Congonhas, Vianna Moog admirou-as como "um rumor de perenidade" que "parece incorporá-las à paisagem que as envolve". O ilustre escritor gaúcho comenta a seguir: "O criador dessas maravilhas era um homem da Renascença, extraviado no Século XVIII". Mais do que isso: "Era um gênio tocado por um halo de santidade".[73]

Cada um dos profetas segura uma cartela, com uma sentença latina. Essas sentenças não são retiradas dos versículos da Bíblia, mas constituem pensamentos extraídos

6. Adro dos Profetas — Profeta Jonas
Santuário do Bom Jesus de Matozinhos — Congonhas

dos escritos dos profetas; como que condensam o pensamento contido num determinado capítulo. Foram as sentenças escritas certamente por um leitor da Bíblia, provavelmente um padre. As traduções das sentenças latinas, contidas nas cartelas de cada profeta, e que publicamos a seguir, são de autoria do Pe. José Tobias Zico.

ISAÍAS — Sobrinho de Amasias, rei de Judá, foi o primeiro dos quatro grandes profetas. Passa por ser o mais eloquente dos profetas; suas ideias são sublimes; as imagens, enérgicas; e seu estilo de extraordinária veemência. É realmente notável o seu Cântico de triunfo sobre a ruína de Babilônia.

Segundo Bazin, a estátua de Isaías apresenta grandes falhas anatômicas, a parte superior do corpo é muito pequena em relação à inferior; os ombros são demasiadamente estreitos para a cabeça; e os braços, curtos. John Bury comparou a cabeça desse profeta com a de S. João Batista, sobre o portal da Cartuxa de Champinol. Para o Pe. Heliodoro Pires, a estátua de Isaías recorda Moisés de Miguel Ângelo.

Sentença da cartela: “Enquanto os serafins celebravam o Senhor, um deles aproxima uma brasa dos meus lábios, por meio de pinças”.

JEREMIAS — Um dos quatro grandes profetas dos judeus, nascido no ano 630 antes de Cristo. Ele predisse a ruína de Jerusalém e o cativeiro da Babilônia.

Segundo Germain Bazin, a construção dessa imagem é bastante defeituosa, principalmente o braço direito esticado e curto, sem articulação e as mãos se apresentam defeituosas.

Sentença da cartela: “Eu choro o desastre da Judeia e a ruína de Jerusalém. Peço que elas voltem ao seu Senhor”.

BARUC — Pe. Heliodoro Pires pergunta se esta seria uma das estátuas feitas pelos auxiliares do Aleijadinho.

Baruc foi um dos doze profetas menores, discípulo e companheiro de Jeremias. Depois da morte deste, juntou-se aos judeus cativos, na Babilônia. Ali divulgou as suas profecias, nas quais se encontra uma eloquência tal, que excitou o entusiasmo de La Fontaine. Viveu mais ou menos no Século VI antes de Cristo:

Sentença da cartela: “Eu anuncio a encarnação de Cristo e o fim do mundo e aviso os bons”.

EZEQUIEL — Foi um dos quatro grandes profetas do Antigo Testamento. Levado prisioneiro para a Babilônia, junto com Jaconias, rei de Judá, pelo ano 599 antes de Cristo, predisse o fim do cativeiro, a volta dos judeus a Jerusalém, o restabelecimento do templo etc. Sua linguagem é cheia de beleza, com imagens vivas e brilhantes, repleta de símbolos e alegorias que, segundo alguns historiadores, tinha a finalidade de fazer-se entendida apenas pelos judeus.

É uma das estátuas cuja anatomia é correta e, segundo José Mariano, filho, foi certamente executada pelo próprio Aleijadinho.

Cartela: “Descrevo os quatro animais, no meio das chamas, as terríveis rodas e o etéreo trono”.

DANIEL — Foi um dos quatro grandes profetas. Na sua infância, foi levado, entre os cativos, para Babilônia. Depois da tomada de Jerusalém, no ano 606 antes de Cristo, foi educado na corte de Nabucodonosor, justamente por pertencer a uma família nobre. Adquiriu grande prestígio junto àquele rei, por sua sabedoria e fina inteligência. Acusado por ministros invejosos e alguns conselheiros reais, que o denunciaram ao rei, pois orava a um Deus estranho, foi atirado à caverna dos leões. Mas dali saiu incólume.

Segundo Pe. Heliodoro Pires e José Mariano, filho, a estátua de Daniel recorda a figura de Dante. Destaca-se "das demais pela severa beleza do porte, é alta e elegante, a sua cabeça sonhadora se inclina suavemente para a frente, o nariz é longo, nariz da Renascença italiana..."

Para Germain Bazin é, de todas, a que apresenta maior apuro, a mais bem acabada.

Cartela: "Encerrado por ordem do rei na cova dos leões, estou são e salvo, pela proteção de Deus".

OSEIAS — Foi o primeiro dos profetas menores. Morreu no ano 723 antes de Cristo. Sua profecia é constituída de 14 capítulos e o objeto principal é a ruína de Jerusalém.

A estátua apresenta anatomia correta. Nota-se defeito nos braços e as mãos parecem disformes.

Cartela: "Recebe a adúltera, disse-me o Senhor; isto eu faço. Ela se torna esposa, concebe e tem muitos filhos".

Jonas — Foi um dos chamados profetas menores; viveu no Século VIII antes de Cristo. Foi encarregado pelo Senhor de anunciar a destruição de Nínive.

Acovardou-se, não quis cumprir sua missão e embarcou para Tarso. Mas sobreveio terrível tempestade e Jonas, reconhecendo sua culpa, supôs que a tempestade fosse castigo só para ele, e lançou-se ao mar. Foi engolido por uma baleia, que o conservou por três dias no seu ventre e o vomitou, depois, na praia. Jonas correu então a Nínive e ali fez que ouvissem estas terríveis palavras: "daqui a quarenta dias Nínive será destruída" Entretanto, seus habitantes fizeram penitência e o Senhor os perdoou. Acredita-se que Jonas morreu no ano 761 antes de Cristo.

As estátuas dos profetas são geralmente constituídas de duas partes, duas peças; mas a de Jonas é monolítica.

Cartela: "Engolido pelo monstro, passo três dias e três noites, no ventre do peixe, depois, chego a Nínive."

JOEL — É o segundo dos doze profetas menores. Fez suas profecias 700 anos antes de Cristo. Deixou três capítulos apenas, nos quais profetizou a devastação dos campos e fez apelo à penitência; predisse ainda a volta do favor divino e a descida do Espírito Santo.

Germain Bazin notou defeitos nas mãos e o Pe. Heliodoro Pires apontou defeito num pé.

Cartela: "À Judeia eu explico quanto mal hão de trazer à terra a lagarta, o gafanhoto, o besouro e o fungo".

AMÓS — É o terceiro dos profetas menores. Foi morto no ano 785 antes de Cristo. Sua estátua tem a aparência de um chinês.

Cartela: "No começo, simples pastor, depois, profeta. Invisto contra as vacas gordas e os líderes".

NAUM — Quase nada se sabe a respeito da vida desse profeta.

Cartela: "Persigo Nínive e digo: haja castigo contra a relapsa Assíria, que deve ser destruída totalmente".

ABDIAS — É o terceiro dos doze profetas menores. Era pastor. Foi morto no ano 785 antes de Cristo.

Cartela: "Acuso as nações e a vós, povos da Idumeia. Anuncio-vos triste ruína".

HABACUC — Um dos doze profetas menores, deixou apenas três capítulos, nos quais profetizou o cativeiro dos judeus na Caldeia. Viveu. no Século VI antes de Cristo. As suas profecias se distinguem por extraordinária energia, grande vivacidade de expressão.

Cartela: “Eu te acuso, Babilônia, a ti, tirano da Caldeia: mas a ti, ó Deus, que me sustenta, eu canto em salmos”.

Há quem veja, nas sentenças inscritas nas cartelas de cada profeta, um grito de protesto contra os poderosos, sobretudo naquele período da nossa História.

Sylvio de Vasconcelos sentiu isso e o exprimiu com estas palavras: “A significação que conferiu aos profetas de Congonhas do Campo, enfatizada pelas inscrições que portam, mostra, além de dúvidas, condenação aos poderosos e esperanças de libertação que se ajustam perfeitamente ao espírito da Inconfidência Mineira”.[74]

Minas Gerais viveu, nos últimos anos do Século XVIII e princípios do seguinte, uma das fases mais dolorosas de sua História. E foi justamente nessa época que o Aleijadinho realizou aquele notável conjunto que constitui, no dizer de Lourival Gomes Machado, “o que de melhor possui, na áurea metade do Século XVIII, a arte em Minas Gerais”.

O próprio Rodrigo Bretas, escrevendo meio século depois da realização da obra, declarou que “algumas artes liberais estavam talvez em maior florescência do que hoje nesta província”. Em seguida, Rodrigo Bretas procura explicar sua observação: “ou porque, à falta de liberdade política, como sucede ainda na Itália, a tendência dos espíritos ou a sua atividade não podia ter outro alvo...” Aquela alusão do biógrafo do Aleijadinho à “falta de liberdade política”, assim como a comparação com a situação da Itália, que vivia sob a dominação estrangeira, estão a indicar que o Aleijadinho se teria dedicado à arte, como uma válvula, uma espécie de escapatória; daí, servir-se da sua arte para as referências ao cativeiro, à dominação dos poderosos e, homem místico, de fé profunda, o convite à penitência, para conseguir a proteção divina.

Ao analisar o conjunto barroco de Congonhas, Mário de Andrade enxergou, na obra do Aleijadinho, nítido, o “cunho nativista”.[75]

Já Gilberto Freyre, em longa dissertação sobre os mulatos, sua condição social e sua ascensão, no Brasil, viu, na obra do Aleijadinho, uma reação contra sua condição de mulato, uma espécie de ressentimento do mulato. “Em o Aleijadinho ... o ressentimento tomou a expressão de revolta social, de vingança de sub-raça oprimida, de sexo insatisfeito, de donjuanismo inacabado. De modo que, na escultura do Aleijadinho, as figuras de “brancos”, de “senhores”, de “capitães romanos”, aparecem deformadas, menos por devoção a Nosso Senhor Jesus Cristo e sua raiva de ser mulato e doente; por sua revolta contra os dominadores brancos da colônia...” [76]

Continua Gilberto Freyre: “O aspecto revolucionário, salientou-o Afonso Arinos de Melo Franco, em artigo sobre a viagem que fizemos juntos a Minas Gerais em 1934. O mesmo aspecto, procuramos fixar, ao nosso jeito, em trabalho apresentado, de colaboração com Cícero Dias, ao Congresso Afro- Brasileiro de Recife, também em 1934, sobre reminiscências africanas na arte popular do Brasil”.

“Esse sentido e essa expressão artística antieuropeia dos santeiros e dos pintores de promessas, sentido e expressão que, por meio do mulato, foram também ganhando a música brasileira e por intermédio dela e do negro, a culinária.” [77]

Um estudo muito interessante faz Gilberto Freyre sobre o talento, às vezes, ex- cepcional dos mulatos. Depois de lembrar Hooton, que afirmava que o Egito chegara à sua riqueza extraordinária de civilização pela miscigenação profunda, “sobre o fundo de raça mediterrânea, o elemento negro, o armenoide e, possivelmente, o nórdico... e a Grécia, com sua mistura de mediterrêneos, armenoides, nórdicos e provavelmente alpinos...” escreve o notável mestre de Sociologia: “No Brasil,

7. Adro dos Profetas — Vista Posterior
Santuário do Bom Jesus de Matozinhos — Congonhas

uma coisa é certa: as regiões de mestiçagem mais intensa se apresentam as mais fecundas em grandes homens".

Gilberto Freyre chega a chamar o Aleijadinho de "mestre da caricatura nacional". O ilustre sociólogo tem razão, pois que, em Minas, justamente na época do Aleijadinho, verificou-se impressionante surto musical. O Desembargador José João Teixeira desenvolveu bastante seu estudo sobre os mulatos em Minas, sobretudo quando se referiu aos vadios, os que não faziam absolutamente nada; mas a certa altura comenta: "Aqueles mulatos que se não fazem absolutamente ociosos, se empregam no ofício de músicos, os quais são tantos, na Capitania de Minas, que certamente excedem o número dos que há em todo o reino".[78]

Quem o afirma é um português. Mário de Andrade, escrevendo sobre o Aleijadinho, lembrou outros mulatos ilustres: Caldas, Mestre Valentim, Leandro Joaquim (um dos melhores pintores do Rio, vítima também da Zamparina), Pe. José Maurício Nunes Garcia, o mais notável dos nossos músicos do Brasil colonial e em seguida, comenta: "É curioso observar que todos esses mulatos aparecem brilhando principalmente nas artes plásticas e na música".

Acrescenta o ilustre escritor paulista: "Me espanta mas é muito, ver a sinceridade mesquinha com que historiadores e poetas depreciam o mulato; Capistrano de Abreu, Oliveira Lima, obedecendo sem nenhuma revisão honesta à quizília que já na colônia os reinóis manifestavam contra os mulatos, deixaram páginas sobre isso que não correspondem a nenhuma verdade, nem social, nem psicológica. Ultimamente ainda, foi Graça Aranha que fez o mesmo, numa página que me pareceu repulsiva, em sua eloquência romântica. Não fazem mais do que se escravizar a um vício reinol e europeu..."[79]

Pouco adiante, continua Mário de Andrade: "Os mulatos não eram melhores nem piores que brancos portugueses ou negros africanos. O que eles estavam era numa situação particular, desclassificados por não terem raça mais. Nem eram negros sob o bacalhau escravocrata, nem brancos mandões e donos. Livres, dotados duma liberdade muito vazia..." E assim conclui seu pensamento: os mulatos eram "desraçados".

Quanto à tese de atribuir ao artista a pretensão de retratar, nos doze profetas, os inconfidentes, considero excesso de imaginação, ou falta de assunto. A autora dessa tese (devo declarar que só tomei conhecimento do assunto através do noticiário dos jornais), sendo apenas doze os profetas, não pôde arranjar quem estaria representando José de Rezende Costa, pai e filho; nem José Aires Gomes, um dos mais terríveis adversários dos reinóis, não pôde encontrar quem representasse os padres mais ativistas, como Carlos de Toledo e José da Silva de Oliveira Rolim, nem para os demais condenados, como Cônego Luís Vieira da Silva, Pe. José Lopes de Oliveira, Pe. Manuel Rodrigues da Costa, este menos comprometido que Pe. Martinho de Freitas Guimarães, cujo nome não aparece nos Autos da Devassa, porque não costumava hospedar viajantes.

Não, essa história de cada profeta representar um inconfidente é exagero; a não ser que cada profeta pudesse representar duas das vítimas da Inconfidência Mineira, entre as quais, devem figurar, ao lado de Tomás Gonzaga e Cláudio Manuel, que eram apenas simpatizantes, não inconfidentes, os nomes de João da Costa Rodrigues, Vicente Vieira da Mota e João Dias da Mota. Insistimos nesse ponto: já está devidamente provado que Tomás Gonzaga e Cláudio Manuel não eram inconfidentes.

Na verdade, ambos foram vítimas do movimento, assim como Pe. Manuel Rodrigues da Costa e outros.

AS FONTES DA OBRA DO ALEIJADINHO

Este problema muito preocupou o antigo diretor do Serviço do Patrimônio Histórico e Artístico Nacional, Rodrigo M.F. de Andrade. Onde se inspirou o Aleijadinho para executar suas concepções arquitetônicas, as estátuas dos profetas de Congonhas, enfim, todo o conjunto de obras admiráveis que nos deixou? Germain Bazin sugeriu certas gravuras quatrocentistas italianas, que teriam fornecido ao Aleijadinho diversos elementos da indumentária adotados nas estátuas dos profetas. "Em alguma biblioteca deve ter encontrado uma série dessas gravuras florentinas do *Quattrocento*, que lhe forneceram o elemento de exotismo que procurava".[80]

Lourival Gomes Machado apontou um dos baixos-relevos de Ghiberti, nas portas do batistério de Florença, como possível modelo para as esculturas do painel central de um dos púlpitos da igreja de S. Francisco de Assis, de Ouro Preto. E comentou assim: "No caso do Aleijadinho, estamos contudo longe dos copistas bons ou maus da fase colonial, pois sua personalidade o proíbe de simplesmente repetir o modelo. Por isso mesmo, uma vez positivado o elemento evidenciador da filiação, devemos atender, ao contrário do que faríamos com outros artistas, principalmente para o pouco que, na nova composição, resta do modelo, pois o que não faltará são indícios duma ampla reelaboração".[81]

Poucas páginas adiante, continua Lourival Gomes Machado: "... do modelo só aproveita o que lhe parece belo e dele tira tudo que, embora não sendo evidência concreta, constitua sugestão instigadora. Permanece, portanto, em pleno campo de criação, mesmo quando se vale de modelos". Sylvio de Vasconcelos, em artigo publicado no

Diário de Minas de Belo Horizonte e em *O Estado de São Paulo*, não concorda com a tese de Lourival Gomes Machado, de aproximar o Aleijadinho de Lorenzo Ghiberti, embora insista longamente sobre a legitimidade do uso de modelo.

Cônego Raimundo Trindade, ao se referir aos dois relevos, o de Jonas e do Senhor na barca, nos púlpitos de S. Francisco de Assis, de Ouro Preto, sentiu a inspiração da arte gótica: "Sente-se que, ao projetá-los, tinha Antônio Lisboa diante dos olhos gravuras e composições do período ogival". [82]

Lúcio Costa alvitrou o medalhão da sobreporta da igreja do Carmo, do Rio, como fonte de inspiração para a ornamentação das portadas da igreja de São Francisco de Assis de Ouro Preto. Mas, pergunta-se: como veio Antônio Francisco Lisboa a ter conhecimento daquelas obras acima mencionadas?

Segundo Rodrigo M.F. de Andrade, Francisco Xavier de Brito, teria sido o mestre do Aleijadinho e seu guia no aprimoramento artístico. Mas, retrucou José Mariano, filho, se o Aleijadinho tinha apenas 13 anos, quando, em 1751 faleceu Xavier de Brito, não existe possibilidade de se admitir tal hipótese.

Diogo de Vasconcelos supôs que a fonte de inspiração do grande artista tenha sido a Bíblia, que o biógrafo informa que ele lia com frequência. José Mariano, filho, apoiando o historiador mineiro, escreveu: "Foi por intermédio das gravuras bíblicas góticas e bizantinas que ele se informou para tratamento das cenas dos púlpitos de S. Francisco de Assis de Ouro Preto, das figuras dos Profetas..." [83]

Essa procura de modelos ou fontes de inspiração para o artista, em nada desvaloriza a obra do Aleijadinho; "muito pelo contrário, personifica-a", diz Sylvio de Vasconcelos. [84]

José Mariano, filho, acredita que, para criar as figuras dos profetas, o Aleijadinho não se serviu de modelos, mas teria se inspirado, em alguns casos, em estampas bíblicas ou profanas, para, com sua imaginação, idealizar as figuras dos profetas. "O profeta Daniel lembra Dante Alighieri, Isaías recorda Moisés, de Miguel Ângelo, Naum, uma escultura gótica. Amós, um tipo chinês. Os demais são incaracterísticos".

Pe. Heliodoro Pires, por simples intuição, viu nos trabalhos de Antônio Francisco Lisboa a influência dos franciscanos: "Antônio Francisco Lisboa aproveitou muitíssimo a convivência com os filhos e os religiosos de S. Francisco. Chego mesmo a supor que se Antônio Francisco Lisboa não tivesse procurado os franciscanos, estes religiosos o procurariam", é o que escreveu em seu trabalho *O Aleijadinho-Gigante da arte no Brasil.* [85]

Continuando, Pe. Heliodoro Pires esclarece que, em 1770, estavam já terminadas as construções das igrejas franciscanas do Recife e do Rio, e a maior parte do templo de S. Francisco, na Bahia. Os filhos do Poverello haviam entrado em contato e convivência com artistas daquelas capitais. E, naturalmente, tiveram proveito com esses contatos. Deviam possuir livros valiosos, com gravuras, em que outros artistas sacros procurariam inspiração e modelos. Deviam conservar desenhos, projetos, esboços, gravuras. E tudo isso certamente foi colocado à disposição do Aleijadinho.

Pe. Heliodoro Pires vai além e vê a colaboração de Cláudio Manuel da Costa. A igreja de S. Francisco de Assis, de Ouro Preto, foi o elo de ligação entre Cláudio e o Aleijadinho. Cláudio sempre foi ligado aos franciscanos. Tinha um irmão franciscano, Frei Antônio de Santa Maria dos Mártires, além de outro irmão Trinitário, Frei Francisco de Sales de Jesus Maria. Como advogado da Ordem Terceira de S. Francisco, desde 1771, com o salário fixo de 60 oitavas de ouro por ano, manteve certamente contato direto com os franciscanos e com o Aleijadinho.

8. Pano do Horto — Anjo
Santuário do Bom Jesus de Matozinhos — Congonhas

O visitador franciscano, quando vinha a Vila Rica, levava quase sempre, em sua companhia, frades entendidos em arte, frades que tinham vivido no Recife e na Bahia. E as decisões, na Ordem Terceira de S. Francisco, eram tomadas certamente em conciliábulos de que participavam o visitador, seu acompanhante, Cláudio Manuel da Costa, assim como João Gomes Batista, além dos dirigentes da Ordem.

Frei Antônio de Santa Maria dos Mártires, irmão de Cláudio, pertencia à Província de S. Antônio, do Rio, que dirigia a Ordem Terceira de Vila Rica. Essa Ordem fora fundada em 9 de janeiro de 1746, por Frei Antônio de Santa Maria, Comissário do Ministro Provincial. O que não sabemos é se esse Frei Antônio de Santa Maria era o mesmo "dos Mártires", irmão de Cláudio.

No cap. 1º dos Estatutos era estabelecida a proibição da admissão de "mulatos ou cabras", assim como de "judeu, mouro, ou herege e seus descendentes".

Pe. Heliodoro Pires conseguiu, em correspondência com Frei Basílio Hower, pesquisador e Superior no Rio, a confirmação de que o Hospício de Vila Rica fora fundado em 1726. Aliás, Frei Apolinário da Conceição, em Claustro Franciscano, é taxativo na sua informação: "Foi fundado em 1726". [86] O de Sabará, em 1740; o de São João Del Rei, em 1743; os de Mariana e Diamantina, em 1750; e o mais importante de todos, o de Paracatu, em 1756. De tudo o que se tem escrito, a respeito, parece que o Pe. Heliodoro Pires, por simples intuição, foi quem mais se aproximou da verdade.

Em outra edição mais recente de sua obra, ele faz referências pormenorizadas a um livro muito difundido, a *Bíblia Pauperurn* (Bíblia dos Pobres), repleta de gravuras de episódios do Velho e do Novo Testamento. E comenta em seguida: "Creio piamente que Antônio Francisco teve em mãos um ou mais exemplares dos Livros das Horas, tão comuns na época e que transcreviam da *Bíblia Pauperum* gravuras que evocam episódios do Velho e do Novo Testamento.[87]

A referência a esses dois livros levou-nos a procurar, nos *Autos da Devassa* da Inconfidência Mineira, a relação dos livros sequestrados aos réus. E encontramos, entre os livros do Pe. Manuel Rodrigues da Costa, a Sagrada Escritura, traduzida por Sarmento, em 24 tomos; na biblioteca do Cônego Luís Vieira da Silva, vimos o *Compêndio Geral da História da Ordem Terceira de S. Francisco, o Museum Italicum, Menochii Commentaria Sacra e Scripturae*, em 2 vols.: *Figures de Ia Biblie*, em 4 volumes; *Catecismo de Montpellier*; em 5 volumes; o Pe. Toledo, além de 1 volume de *Doutrina Cristã*, 1 da *Polianteia Mariana*, possuía uma Bíblia em 3 volumes.

O historiador Geraldo Dutra de Morais, sem dúvida alguma, foi o autor que mais contribuições trouxe, para o conhecimento da vida de Antônio Francisco Lisboa. Quase todos os demais, praticamente, se limitam a comentar e ampliar as informações de Rodrigo Bretas. Mas Geraldo Dutra de Morais, não; pesquisou praticamente a vida inteira, nos arquivos do Brasil e de Portugal; e contribuiu efetivamente para esclarecer diversos aspectos da vida do Aleijadinho.

Nas suas pesquisas realizadas em Portugal, conseguiu descobrir que os franciscanos do *Hospitium Hierusalimitanum* mantiveram, a partir de 1748, um seminário de donatos (irmãos leigos professos da Ordem Terceira de S. Francisco, revestidos de hábito, em regime de comunidade religiosa) e que se destinava à instrução do menor desprovido de recursos, em idade escolar. Era de nível elementar e propedêutico, o currículo constava de "gramática, latim, matemática, solfa, noções de filosofia e Teologia e História Sagrada". [88]

Em 1749, inaugurava-se o curso profissional com o nome de "São Francisco de Assis", com a finalidade de formar oficiais mecânicos, "mediante curso teórico e prático aplicado na arte de carpintaria, arquitetura, pintura, escultura, serralheria, fundição, olaria, sapataria e alfaiataria". O Hospício possuía boa biblioteca, conforme se pode verificar por "um arrolamento feito em 1780", que apontou o total de 683 volumes em português e em outras línguas, entre as quais, 94 obras especializadas em arte, engenharia e ofícios mecânicos. Citemos apenas um volume, como exemplo: *Manual de Arquitetura*.[89]

Antônio Francisco Lisboa ingressou em 15 de julho de 1750 no internato do Seminário dos Donatos, ou seja, com a idade de 12 anos. Ali estudou durante 9 anos, isto é, até a idade de 21 anos.

Esta notável descoberta de Geraldo Dutra de Morais é sensacional e confirma o que o Pe. Heliodoro Pires procurava adivinhar, ou seja, a convivência de Antônio Francisco Lisboa com os franciscanos. Não se trata mais de conjectura, de mera suposição. Antônio Francisco Lisboa estudou durante nove anos com os franciscanos, recebendo sua influência e o espírito de sua formação religiosa. Geraldo Dutra de Morais menciona os nomes de alguns dos mestres que ali funcionavam: Frei Gaspar de Santa Tereza, diplomado em Engenharia e Arquitetura, antes de ingressar na vida religiosa; Luís Fernandes Calheiros, carpinteiro; Manuel Francisco Lisboa, pedreiro, carpinteiro e construtor; João Gomes Batista, desenhista e gravador; José Pereira dos Santos, arquiteto; Filipe Vieira, entalhador. [90]

Convém não esquecer que as primeiras escolas de Vila Rica só foram criadas pela Coroa, depois de iniciada a cobrança do subsídio literário, o que se verificou no ano de 1774. E antes? Antes dessa data, as únicas escolas que funcionaram foram as criadas pelo Bispo de Mariana, ou as de iniciativa de vigários e capelães. D. Frei Manuel da Cruz, primeiro Bispo de Mariana, homem de cultura, antigo professor na Universidade de Coimbra, ao assumir o munus pastoral em Mariana, deve ter-se chocado com a total falta de escolas de primeiras letras. E foi esse primeiro Bispo de Mariana que passou, então, a nomear mestres para "publicamente ensinar meninos a ler, escrever e contar". D. Oscar de Oliveira, Arcebispo de Mariana e historiador renomado, conseguiu relacionar algumas dezenas de provisões assinadas por D. Frei Manuel da Cruz, para mestres de ler, escrever e contar e, algumas, também de "solfa", isto é, de rudimentos de música. [91]

A Igreja desempenhou notável papel não só na formação espiritual de nosso povo, mas também na fundação das primeiras escolas de Minas Gerais, no desenvolvimento, portanto, da instrução na Capitania. Em Minas, não tivemos os colégios dos jesuítas, não tivemos conventos, mas, mais talvez que em outras capitanias, tivemos a influência da Igreja no desenvolvimento da instrução.

Note-se que os sucessores de D. Frei Manuel de Cruz continuaram a tradição por ele criada, de manter escolas de primeiras letras.

Com relação aos franciscanos, sua presença foi marcante em Minas e desde os albores do Século XVIII. Apesar das severas determinações da Coroa, com relação aos frades em geral, os franciscanos sempre conseguiram permissão para vir às Minas, aqui pregar e esmolar. O Conde de Sabugosa sempre favoreceu, perante a Corte de Lisboa, os requerimentos dos franciscanos da Bahia, Frei Álvaro da Conceição, Frei Francisco Trigueiros e outros, para angariar donativos nas Minas para o convento da Bahia e, ao mesmo tempo, auxiliar os párocos na cura das almas.

Vindos do Rio, alguns franciscanos deixaram seu nome na História, como Frei Sebastião do Rosário (1722), Frei João de Santa Rosa (1724) etc.

Na falta de conventos, que eram proibidos, instalaram-se nas Minas os Hospícios. Em todos os arraiais auríferos sempre ficou registrada a presença de franciscanos. Em Paracatu, antes mesmo do manifesto oficial do descoberto ao Governador, já ali se encontravam Frei Ivo do Nascimento e Frei Maurício de S. Francisco. Ainda nos albores do Século XVIII, tão logo chegou ao conhecimento de D. Pedro II a notícia da soltura dos costumes dos primeiros povoadores das Minas, dirigiu-se S. Majestade aos superiores das Ordens religiosas sediadas no Rio, com o convite para que mandassem seus religiosos pregar missões nas Minas. Segundo informa Frei Apolinário da Conceição, foram os franciscanos os únicos que se interessaram em atender ao apelo do rei. Tornaram-se, então, frequentes as missões periódicas nas Minas.

Com relação ao Hospício de Vila Rica, já vimos, foi inaugurado em 1726, em sede provisória. Alguns anos depois, o síndico geral comprou duas chácaras para edificar a "Casa de residência para acomodação dos religiosos". A Câmara de Vila Rica concedeu aos frades um terreno baldio anexo, no total de 59 braças, por provisão de 13 de novembro de 1734. O Guarda-mor de Vila Rica, Tomé Teles de Souza Coutinho, concedeu aos mesmos frades "um anel de água tirada junto ao córrego chamado Agrelas". A aquisição do síndico geral, a doação do Senado da Câmara, a concessão do anel de água, tudo foi confirmado pela carta régia de 10 de novembro de 1749. [92]

O Hospício se distinguia do convento, principalmente pelo fato de não poder ter capela aberta diretamente para o público. O de Paracatu, parece-me, foi o mais importante de Minas, pois era o único da Capitania que fora autorizado a ter porta da capela aberta ao público. Pelo Breve de 26 de janeiro de 1756, do Papa Benedito XIV, foram os frades esmoleres de Paracatu autorizados a construir no Hospício um "oratório público", em que, "sem escrúpulo algum de consciência, pudessem celebrar missa diariamente, dar comunhão, excetuada a comunhão pascal para pessoas leigas". [93]

Convém não esquecer que um dos capelães da Bandeira das Esmeraldas era franciscano; e no arraial aurífero mais antigo das Minas, o de Guarapiranga (atual cidade de Piranga), em 1694, quem primeiro celebrou na igreja de N. Sª da Conceição foi "um frade terceiro, por nome Frei José de Jesus", que acompanhou a bandeira de Francisco Rodrigues de Siqueira e Manuel Pires Rodovalho. [94]

Em *Primazia Seráfica na América*, editado em Lisboa em 1732, o Autor, Frei Apolinário da Conceição, depois de referir-se à falta de missionários na África, acrescenta: "Este (abandono) não experimentam os naturais da América, pois não somente acodem dos nossos conventos os religiosos à administração dos sacramentos nessas aldeias metidas no centro do sertão, mas também aos povos a que assistem ... " E pouco adiante: "Do convento de S. Antônio da cidade de São Sebastião do Rio de Janeiro, Casa Capitular da minha santa província, têm saído repetidas vezes religiosos às missões das Minas Gerais onde, com seus sermões, fizeram muitas conversões de pecadores ..." [95]

Frei Apolinário nos informa, em seguida, que o primeiro franciscano que veio às Minas foi Frei Arcângelo da Ascenção que, mais tarde, voltou às Minas, como confessor do Governador Antônio de Albuquerque. [96]

É interessante assinalar que, desde o capítulo presidido por S. Boaventura, no ano de 1263, têm os franciscanos, como padroeira da Ordem, N. Sª da Conceição, com obrigação de celebrar, anualmente, a sua festa. Ora, a primeira igreja de Minas, de que se tem notícia documentada, a de Guarapiranga (atual Piranga) era dedicada a N. Sª da Conceição. N. Sª da Conceição era a titular da Matriz e freguesia mais antiga de Vila Rica, bem mais antiga que a Matriz de N. Sª do Pilar e, segundo se lê numa carta do Senado da Câmara de Vila Rica, "a mais antiga de todas as Minas e a primeira que V. Majestade mandou erigir em vigararia colada". [97] Também a Matriz de Sabará era dedicada a N. Sª da Conceição, o que, incontestavelmente, assinala a presença franciscana nos primórdios das Minas.

9. Adro dos Profetas — Profeta Jonas (Visão posterior)
Santuário do Bom Jesus de Matozinhos — Congonhas

Outra particularidade: Em Minas Gerais, 78 localidades tiveram a denominação de Conceição, Conceição da Barra, Conceição da Boa Vista etc. e Nossa Senhora da Conceição da Extrema, Nossa Senhora da Conceição de Volta Grande, Nossa Senhora da Conceição do Rio das Pedras etc., cujos nomes atuais são, respectivamente, Perdizes, Cassiterita, Divisa Nova, Cristália, Careaçu, Acuruí etc ... Essas 78 localidades indicam uma devoção disseminada por toda a Capitania.

Queremos concluir este capítulo com estas palavras: longe de nós a pretensão de diminuir o valor da obra de Aleijadinho. Nada disso. Desejamos, isto sim, cooperar na solução do problema que tanto preocupou Rodrigo M.F. de Andrade, isto é, procurar localizar as fontes de inspiração do genial artista.

17. Igreja de São Francisco de Assis
Fachada — Ouro Preto

18. Igreja de Nossa Senhora do Carmo — São João da Cruz (Altar lateral)
Púlpito — Sabará

19. Igreja de Nossa Senhora do Carmo — São João da Cruz (Altar lateral)
Púlpito — Sabará

20. Igreja de Nossa Senhora do Carmo
Púlpito — Sabará

21. Igreja de Nossa Senhora do Carmo
Púlpito — Sabará

22. Igreja de Nossa Senhora do Carmo
Púlpito — Sabará

23. Igreja de Nossa Senhora do Carmo
Atlante (coro) — Sabará

24. Museu Arquidiocesano
São Joaquim — Mariana

A DOENÇA DO ARTISTA

O estudo do Prof. Bretas é a única fonte histórica que possuímos, a respeito da vida de Antônio Francisco Lisboa.

Rodrigo Bretas não era um leviano. Pelo que se conhece de sua vida, era homem sério e criterioso, merecedor de fé. Mas, na verdade, ele se deixou embair e, a par de dados que pesquisas posteriores confirmaram, deixou-nos muita fantasia, no meio de uma biografia puramente laudatória.

Com relação à doença do artista, Bretas não afirma coisa alguma. "Pretendem uns que ele sofrera mal epidêmico que, sob o nome de Zamparina, pouco antes havia grassado na província..." A descrição que o cronista faz do enfermo é horrível, como veremos a seguir. Mas o próprio Bretas, na sua exposição, comenta: "Desde que um indivíduo qualquer se torna célebre e admirável, em qualquer gênero, há quem, amante do maravilhoso, exagera indefinidamente o que nele há de extraordinário e das exagerações que se vão sucedendo e acumulando..."

A biografia de Rodrigo Bretas foi escrita 44 anos depois da morte do artista. As notícias e os dados que colheu, vê-se logo, estão impregnados daquela exageração que ele mesmo observou.

A data em que o Aleijadinho adoecera, Bretas afirma com segurança: foi em 1777, isto é, 81 anos antes de escrever os seus *Traços biográficos*. Esta data está confirmada por um assentamento no Livro de Receita e Despesa da Irmandade de N. Sª das Mercês e Perdões de Vila Rica, fls. 71, 81 e 87, onde se lê:

1777 — "Pelo que dispendeu com dois pretos que carregaram a Antônio Francisco, para rever o risco da obra, 1/2 oitava".

1778 — "Pela despesa de quem carregou, para esta capela a Antônio Francisco, para certa averiguação da nova obra, 1/2 oitava". [98]

Se grassou mesmo em Minas a Zamparina, memória muito vaga dela deveria ter restado. O que era essa Zamparina? Uma epidemia, das muitas que grassaram no Brasil colonial, que irrompeu no Rio, em 1780, e que, segundo informa o Dr. Sigaud, causava "grande alteração do sistema nervoso e locomotor". [99] E o povo carioca, devido à loucura que avassalara Portugal, pouco antes, quando uma cantora veneziana, Ana Zamperini, "famosa e hábil aventureira que logrou sugar os argentários, ensandecer os velhos, embair os novos, desonestar os padres, irritar o patriarca, alvorotar os poetas e assanhar o grandiosamente imperturbável Marquês de Pombal", por alusão "ao contágio de alucinada efervescência provocada pela cantora, batizou a epidemia de Zamperini, nome logo vulgarmente transformado em Zamparina."

Se no Rio, segundo afirma o médico Alberto Pimentel, a Zamparina grassou em 1780, pouca possibilidade haveria de ter grassado, antes, em Minas. [100] Bretas afirma que o Aleijadinho adoeceu em 1777, em pleno apogeu de uma vida gloriosa, quando se achava com 39 anos de idade. Se não foi a Zamparina que o atacou, qual terá sido a doença do genial artista?

Para se formar ideia do que já se escreveu sobre o assunto, basta lembrar que o sr. Hélio Gravatá publicou, há alguns anos, uma bibliografia completa sobre Antônio Francisco Lisboa (mais de mil títulos) e, precisamente sobre a doença do artista, exatamente trinta títulos. Depois da publicação da pesquisa do sr. Hélio Gravatá, já apareceram outros trabalhos, como *O Aleijadinho e a Medicina*, do Dr. Tancredo A. Furtado, editado em Belo Horizonte, em 1970. Naturalmente, a maioria dos médicos e historiadores opta pela lepra, numa de suas múltiplas manifestações: "O diagnóstico da moléstia de Hansen para os males do Aleijadinho é o que conta o maior número de defensores, embora não exista unanimidade quanto à forma clínica exata". [101]

São quase infindáveis as sugestões de quem já se ocupou do assunto: Lepra (Dr. Antônio Alves Passig, Agripa de Vasconcelos); lepra nervosa (Dr. René Laclette, Dr. Tancredo A. Furtado, R. A. Freudenfeld); lepra mutilante (Dr. Henrique Roxo, Dr. Phocíon Serpa); lepra mista (José Mariano, filho); lepra tuberculosa ou tuberosa de Hansen (Dr. Nicolau Ciêncio); Sífilis hereditária (Dr. Américo Valério); Reumatismo gotoso (Augusto de Lima Júnior), Porfiria (Dr. Paulo Silva Lacaz): bouba (Dr. Floriano de Lemos); Sífilis congênita, escorbuto, toxicomania, moléstia de Raynaud, endoarterite, bócio, acidente vascular cerebral, seringomielia etc. etc. É explicável essa diversidade de opiniões, mesmo entre médicos; a reconstituição diagnóstica póstuma, apenas com os dados fornecidos por Rodrigo Bretas, é problema realmente difícil. Por ocasião das comemorações do sesquicer tenário da morte de Antônio Francisco Lisboa, em 1964, a Associação Médica de Minas Gerais promoveu uma mesa redonda, para debater a enfermidade do artista. Participaram da mesa redonda os professores René Laclette, Alípio Correia Neto, Tancredo A. Furtado e os doutores Geraldo Guimarães da Gama e Pedro Sales. As conclusões publicadas foram as mais diversas.

Um dos nossos grandes historiadores, Geraldo Dutra de Morais, encontrou, nas suas pesquisas no Arquivo Público Mineiro, um "relatório juramentado" dos médicos Manuel Fernandes de Santiago e Tomás de Aquino Belo e Freitas, segundo o qual, "fizeram confinar, sob escolta, no arraial de São Bartolomeu, a 18 de maio de 1788, todos os doentes portadores do mal de São Lázaro, incluindo os de aparência suposta ou duvidosa, moradores de Vila Rica, sem exceção alguma". O nome de Antônio Francisco Lisboa não figura na relação dos dezenove leprosos segregados à gafaria, isto é, ao isolamento dos hansenianos, por ordem do Governador Luís da Cunha Menezes ... Não obstante, comprovam os documentos que, nessa data, o Aleijadinho se encontrava em Vila Rica, trabalhando nas igrejas de S. Francisco de Assis, N. Sª do Carmo e das Mercês e Perdões. Em decorrência, a tese defendida por aqueles que julgam Antônio Francisco Lisboa portador do mal de Hansen não subsiste à prova insofismável dos arquivos". [102]

Fica, desta forma, definitivamente afastada a hipótese de ser a lepra a doença do Aleijadinho.

Aliás, a lepra sempre foi enfermidade facilmente reconhecível e da qual todos fugiam com horror. Quando Cristo curou o leproso, disse-lhe: "Vai mostrar-te ao sacerdote". [103]

E quando Jesus, a caminho de Jerusalém, passava pelos confins da Samaria e da Galileia, vieram-lhe ao encontro dez leprosos e pediram a Jesus a sua cura: "Jesus, Mestre, tem compaixão de nós!" Jesus curou-os e disse-lhes. "Ide, mostrai-vos ao sacerdote". [104]

Apresentar-se ao sacerdote, ser visto por ele, significaria a volta ao convívio social, do qual se achavam afastados os leprosos.

No entanto, ao que tudo indica, ninguém fugia do Aleijadinho. Ele, sim é que passou a evitar o convívio dos outros. Mostrava-se "intolerante e mesmo iroso para com os que lhe pareciam observá-lo de propósito". Costumava "trabalhar às ocultas, debaixo de uma tolda, ainda mesmo que houvesse de fazê-lo dentro dos templos". "O cuidado de furtar-se às vistas de pessoas estranhas dera-lhe o hábito de ir de madrugada para o lugar em que tinha de trabalhar e voltar a casa depois de fechada a noite e, quando devia fazê-lo antes, notava-se-lhe algum esforço para que a marcha do animal fosse apressada e assim se frustrasse o empenho de alguém que sobre ele quisesse demorar suas vistas".

O artista evitava o convívio com estranhos, embora se mostrasse "alegre e jovial entre as pessoas de sua intimidade".

Aliás, o grande estudioso da obra do Aleijadinho, Sylvio de Vasconcelos, observou: "jamais foi afastado do convívio humano, incontornável se afetado por moléstia imemorialmente reconhecível e temível como a lepra".

A opinião de Sylvio de Vasconcelos é mesmo a de que a descrição dos males do grande artista está "eivada de exageros" e "principalmente quando referidos a seu aspecto mutilante". Acha o ilustre escritor mineiro que o Aleijadinho sofreu "achaque comum, provavelmente de fundo infeccioso e reumático".[105]

Mário de Andrade salienta que, depois que a doença chegou, é que foi produzir sua obra genial de Congonhas. "Em Congonhas, o gênio sofre fisicamente demais, se não decai propriamente, doença e velhice o perturbam. A obra de Congonhas, frequentemente genial, várias vezes sublime, ainda turtuveia. É irregular, mais atormentada, mais mística, berra num sofrimento raivoso de quem sabemos que não tinha paciência muita, apesar das leituras bíblicas".

Continua Mário de Andrade, pouco adiante, seu comentário sobre a doença do Aleijadinho: "Me parece muito importante repisar esta realidade histórica. O sentimentalismo ambiente, esquecido das datas, se inclina a ver nas obras do Aleijadinho, as obras do doente, sofrendo horrores, com essa tal de Zamparina misteriosa, que também estava invalidando outro artista brasileiro, o pintor Leandro Joaquim. O aparecimento da doença divide em duas fases nítidas a obra do Aleijadinho. A fase sã, de Ouro Preto... se caracteriza pela serenidade equilibrada e pela clareza magistral. Na fase de Congonhas, do enfermo, desaparece aquele sentimento renascente da fase sã, surge um sentimento muito mais gótico e expressionista.

A deformação na fase sã é de caráter plástico. Na fase doente é de caráter expressionista". [106]

Muito interessante realmente o comentário que Mário de Andrade, cuja contribuição foi extremamente valiosa não somente para a música, mas também para as artes plásticas, fez sobre a influência da doença do Aleijadinho sobre sua arte: " ... mas com a doença, o sofredor insofrido vira expressionista, duma violência tão exasperada que não raro se torna caricatural. Nos Passos, ele está lidando com a madeira, bem mais mole que a pedra, duma plasticidade mais servil. Não obedece a ela. Ela é que o serve totalmente e aos seus ódios terríveis (a série caricata dos soldados romanos) e seus amores divinos (alguns dos Cristos, principalmente o que está sendo pregado na Cruz) e aos seus carinhos humanos (como na figurinha de criança com o cravo, o São João dormindo, as mulheres na subida do Calvário, o bom ladrão). [107]

Em 1777, quando Antônio Francisco Lisboa adoeceu, já era artista famoso. Quatro anos depois, em 1781, era chamado a Sabará, pois ali, a Ordem Terceira de N. S[a] do Carmo queria "o melhor mestre" para executar obras de sua igreja. O documento que o comprova é realmente interessante. A Ordem Terceira do Carmo, pretendendo empregar o legado deixado por um irmão, "para se fazerem as grades do corpo da igreja, coro e púlpitos ... o melhor meio que se achou para as fazer com aquela perfeição e pureza, segundo os riscos, era ajustar o melhor mestre e oficiais que a pudessem executar na forma dita, e uniformemente assentaram o Revdo. Comissário Superior e mais irmãos mesários que só o mestre Antônio Francisco e seus costumados oficiais a poderiam fazer com toda a boa satisfação..." [108]

A enfermidade do artista, escreveu Manuel Bandeira, "longe de abater o ânimo de Antônio Francisco, como que estimulou a sua formidável capacidade de trabalho". E, em seguida, o autor do *Guia de Ouro Preto* comenta: "Entenda-se que o diminutivo de Aleijadinho é significativo de pura compaixão e meiguice brasileira. O homem a que ele se aplicou nada tinha de fraco nem pequeno. Era, em sua disformidade, formidável. Nem no físico; nem no moral, nem na arte, nenhum vestígio de tibieza sentimental. Toda a sua obra de arquiteto e escultor é de uma saúde, de uma robustez, de uma dignidade a que não atingiu nenhum outro artista entre nós". [109]

Durante a grave enfermidade, criara as sua maiores obras, escreveu outro biógrafo seu, R.A. Freudenfeld.

A descrição terrível, impressionante, que nos deixou Rodrigo Bretas, provavelmente deve referir-se aos últimos anos da vida do artista. O quadro pintado por Bretas é horroroso: " ... perdeu todos os dedos dos pés, de que resultou não poder andar senão de joelhos; os das mãos atrofiaram-se e curvaram e mesmo chegaram a cair, restando-lhe somente, ainda assim quase sem movimento, os polegares e os índices ... As pálpebras inflamaram-se e permanecendo neste estado ofereciam à vista sua parte interior; perdeu quase todos os dentes e a boca entortou-se como sucede frequentemente ao estuporado; o queixo e o lábio inferior abateram-se um pouco; assim o olhar do infeliz adquiriu certa expressão sinistra e de ferocidade que chegava mesmo a assustar a quem quer que o encarasse inopinadamente. Essa circunstância e a tortura da boca o tornaram de um aspecto asqueroso".

Depois dessa descrição horripilante, Rodrigo Bretas acrescenta em nota o seguinte: "Conta-se que tendo comprado um preto boçal de nome Januário, atentara este contra a própria vida, servindo-se de uma navalha, tendo dito antes que o fazia para não ser obrigado a servir a um senhor tão feio. O mal foi evitado a tempo e, mais tarde, foi este preto um bom escravo".

10. Adro dos Profetas — Profeta Jonas (Detalhe)
Santuário do Bom Jesus de Matozinhos — Congonhas

Acreditamos sinceramente que esta descrição do seu biógrafo deva referir-se aos últimos anos da vida do artista. Se ele adoeceu em 1777 e se, dez anos depois, era eleito juiz da Irmandade do Patriarca S. José, na qual ingressara em 1772, concluimos que, apesar da doença que o atacara, continuava a frequentar as reuniões da Irmandade, isto é, não encerrara ainda o convívio social, o que se teria verificado mais tarde.

Os trabalhos de rara beleza plástica que realizou em Congonhas, de 1796 a 1805, denotam um espírito forte, um organismo resistente; no entanto, a enfermidade já avançara bastante; mas não o impedia de realizar a obra grandiosa dos Passos e dos profetas.

A descrição feita, segundo Rodrigo Bretas, em 1790, pelo vereador de Mariana, Capitão Joaquim José da Silva, termina com estas palavras: "Tanta preciosidade se acha depositada em um corpo enfermo, que precisa ser conduzido a qualquer parte, e atarem-se-lhe os ferros para poder obrar".

Perdidos os dedos dos pés, ficou impedido de andar; tinha que ser transportado para o local de trabalho. Perdidos os dedos das mãos, ficou incapacitado de segurar os instrumentos, que deveriam ser amarrados a essas mãos doentes, para poder executar seus trabalhos maravilhosos. Isso, antes, bem antes de iniciar as obras de Congonhas.

Não sabemos que doença terrível teria sido essa que lhe inutilizou os pés e as mãos, mas lhe deixou a mente firme, a inteligência lúcida, o organismo resistente, e que lhe permitiu criar as suas mais notáveis obras.

LENDAS E EXAGEROS

Em janeiro de 1963, saiu o número-prospecto da *Revista de História e Arte*, de Belo Horizonte, que Augusto de Lima Júnior abriu, com longo artigo intitulado *O mito do Aleijadinho na História de Minas*. O número-prospecto daquela revista trouxe diversos outros trabalhos: *O fim do mito do Aleijadinho e uma carta do historiador Geraldo Dutra de Morais*, da redação; *O problema do Aleijadinho*, de Victor F. de Freiras: *O "ser e o não ser" do Aleijadinho de Vila Rica*, de Salomão de Vasconcelos etc. Esses três historiadores (o último, pai de Sylvio de Vasconcelos, foi funcionário do antigo SPHAN) iniciaram com aquele número -prospecto e continuaram, nos números seguintes, uma campanha contra o "comércio" do Aleijadinho. Funcionários do SPHAN vendiam para gente do Rio e de São Paulo imagens, portas de igrejas, até altares, tudo do Aleijadinho, o artista "que tem enriquecido tanta gente". Eram muitos os casos narrados e, se verdadeiros, deveriam constituir genuínos casos de polícia. No arraial de Itatiaia, vizinho de Ouro Preto, funcionários do SPHAN arrancaram e carregaram uma porta da igreja local, que precisava, disseram, de consertos; mas a porta nunca voltou e, até dez anos atrás, a porta se encontrava fechada por uma série de tábuas pregadas nos portais.

Das imagens roubadas na Matriz de N. Sª do Pilar, de Ouro Preto, era dado até o endereço do lugar onde foram restauradas, em São Paulo, por Antônio Cesário e por um historiador residente na Rua Jaú, n.º 1.479. Um anjo S. Rafael, pertencente ao acervo da Igreja Grande de Sabará, um funcionário do SPHAN alegou que os jesuítas do Paraguai a haviam mandado para consertos e que devia por isso, ser devolvida a seus legítimos donos. Levou-a. Uma nota da revista chega a mencionar o preço — 600.000 cruzeiros — assim como o nome do comprador de uma imagem de autoria do Aleijadinho, vendida por um funcionário do SPHAN. O procedimento dessa quadrilha é que teria revoltado aqueles historiadores.

O número-prospecto da *Revista de História e Arte* foi remetido a Germain Bazin, que estava preparando seus trabalhos sobre o Aleijadinho; mas o conservador do Museu do Louvre devolveu-o. [110]

Mas no volume *O Aleijadinho e a escultura barroca no Brasil*, o Autor fez referência ao artigo de Augusto de Lima Júnior: "Assim, está aí o Aleijadinho promovido à posição de Mito. Tal como Homero, Shakespeare, Molière ou Napoleão. É o pináculo da glória! Ao grande artista brasileiro Augusto de Lima Júnior, acreditando diminuí-lo, traz a consagração suprema". [111]

Está claro que o termo "mito", referente ao Aleijadinho, empregado naquela revista, referia-se ao sentido figurado do termo registrado por Caldas Aulete, Aires da Mata Machado Filho e outros dicionaristas. A propósito, o Prof. Washington Peluso Albino de Souza escreveu longo e erudito estudo sobre *Realidade e Mito na figura do Aleijadinho*, em que demonstra excepcional cultura e vasto conhecimento da vida do genial artista. [112]

O pouco que conhecemos da vida de Antônio Francisco Lisboa, devem-lo a seu primeiro biógrafo, o Prof. Bretas, que registrou: "Desde que um indivíduo qualquer se torna célebre e admirável, em qualquer gênero, há quem, amante do maravilhoso, exagere indefinidamente o que nele há de extraordinário e das exagerações que se vão sucedendo e acumulando..." [113]

E o ilustre Prof. Bretas, ele próprio, relata uma série de fábulas inverossímeis, ou, como escreveu José Mariano, filho, deu "levianamente curso às inverdades relatadas pela nora do Aleijadinho; a parteira Joana Lopes forneceu material..." Continuando, José Mariano, filho, escreve que "Rodrigo Bretas acreditou em todas as patranhas em curso, acerca do artista, inclusive as contadas no depoimento da mitômana parteira Joana Lopes". (O nome da nora do Aleijadinho, mencionado por Rodrigo Bretas, é Joana Francisca de Araújo Correia).

O caso da doença do artista, como já comentamos, provocou incríveis exageros de seu biógrafo. O caso da imagem de S. Jorge deve ser encarado como anedota e anedota antiga, semelhante à criada depois que Rafael pintou, no Vaticano, o *Juízo Final*; um Cardeal, que ofendera ao genial artista do Renascimento, fora reclamar ao Pontífice, de que sua fisionomia se encontrava entre os condenados ao fogo eterno do inferno. Ao que teria respondido o papa: infelizmente, entre os meus poderes, não existe o de retirar ninguém do inferno.

Feu de Carvalho acredita que o caso da encomenda da imagem de S. Jorge não passa de pura lenda, mesmo porque o Capitão-General Bernardo José de Lorena governou a Capitania de 9 de agosto de 1797 a 21 de julho de 1803, período em que o artista trabalhou em Congonhas. Além disso, a imagem de S. Jorge contém peças de aço, nos seus membros articulados, o que seria bem difícil de se encontrar em Minas. Também Lourival Gomes Machado considera este caso "lenda mais que duvidosa". [114]

Augusto de Lima Júnior considerou a memória do Prof. Bretas inteiramente "apologética": reconhecendo embora que se trata de depoimento valioso, acrescenta que terá que ser examinada com atenção e método, para que possamos separar a realidade da lenda que, "de qualquer modo é muito expressiva".

Sylvio de Vasconcelos acha que o retrato que Rodrigo Bretas "traçou do artista e alguns episódios de sua vida que contou padecem de evidente sabor ficcional" [115]

Aquela história de mulheres que passaram junto às figuras do Passo da Ceia e as cumprimentaram, "devido somente ao bem acabado da escultura" é outra piada do nosso Bretas.

A afirmativa de que, devido às dores intensas, o artista cortava, ele próprio, os seus dedos, parece-nos bastante duvidosa. Aliás, Afonso Arinos de Melo Franco, com base no depoimento que cita do Barão de Eschwege que, a partir de 1811, viveu grande parte dos dez anos que passou em Minas Gerais, nas proximidades de Congonhas, na fábrica "Patriótica", afirma que as palavras do engenheiro alemão vêm "de certo modo contradizer a presunção da mutilação voluntária".[116]

A beberagem que excitava suas faculdades intelectuais não passa de outra fábula.

Como data do nascimento, já comentamos no primeiro capítulo, Rodrigo Bretas menciona a do batismo de um "Antônio" que, hoje, ninguém admite seja o "Francisco Lisboa", mas um outro Antônio qualquer.

Os vários enganos contidos na exposição de Rodrigo Bretas, Sylvio de Vasconcelos os relaciona como "insignificantes equívocos": "mencionem-se: a data do nascimento, a alusão à corte do Rio de Janeiro, que devia ser Lisboa, e a referência à Matriz de Sabará, que deve ser a capela de N. S ª do Carrno. Cita ainda como beneficiários de obras de Antônio Francisco Lisboa as matrizes de Sabará e Santa Luzia, nas quais não foram até o momento identificados trabalhos seus".[117]

A lista dos "insignificantes equívocos" podia ser ampliada: Bretas menciona, entre as obras do Aleijadinho, a capela de S. Francisco, de Mariana, ora, um funcionário do antigo SPHAN, Salomão de Vasconcelos, pesquisou todo o arquivo da Ordem de Mariana, encontrou documentos referentes ao risco, altares, púlpitos, retábulos, decoração interna, florões e sacadas da frente, tudo, mas não apareceu o nome de Antônio Francisco Lisboa.[118]

No entanto, para Germain Bazin, o relato de Bretas "respira à verdade". Ninguém ousará negar a Germain Bazin autoridade bastante, em assunto de arte; entretanto, como historiador, deixa muito a desejar. Pretendemos demonstrá-lo, quando tratarmos da igreja de São Francisco de Assis, de São João Del Rei.

A "*Relação das obras de Antônio Francisco Lisboa* (autoria comprovada por documentação da época)", que se vê no livro *Antônio Francisco Lisboa — O Aleijadinho*, publicação nº 15 da Diretoria do PHAN, é realmente espantosa. Não é crível que um único artista possa ter realizado tão vasta obra atribuída ao Aleijadinho e em tão diferentes lugares.

Salomão de Vasconcelos, que era funcionário do antigo SPHAN, escreveu, com sua letrinha miúda, no final da relação, o seguinte comentário: "Que homem extraordinário, hein0 Uma igreja às vezes consome a vida de muitos arquitetos! Pois esse Antônio Francisco Lisboa, homem aliás doente, chegou a trabalhar em nada menos de trinta, situadas em lugares diversos! Que homem formidável! S. de V."

Na relação acima mencionada, consta: "São João Del Rei — Igreja de S. Francisco de Assis: risco dos altares colaterais e púlpitos, esculturas da portada, inclusive da chave da verga da porta principal; imagem de S. João Evangelista em altar colateral. Igreja de N. Sª do Carmo: risco original do frontispício e execução da maior parte das esculturas da portada".

Ora, jamais apareceu um documento sequer, a provar a execução pelo Aleijadinho das obras acima mencionadas. Muito ao contrário, está provado, sem sombra de dúvida, que não existe qualquer documento que comprove trabalho do Aleijadinho em São João Del Rei.

O grande arquiteto Lúcio Costa, na Introdução da obra referida — Publicação nº 15 da Diretoria do PHAN — afirma que na igreja do Carmo de São João Del Rei, como ocorreu na de Ouro Preto, "a escultura da sobreporta é obra pessoal de Antônio Francisco Lisboa, inclusive os dois serafins, enquanto o mais foi trabalhado presumivelmente pelo Francisco de Lima". A afirmação do ilustre arquiteto é absolutamente gratuita, pois estão já publicados os documentos referentes à construção da igreja do Carmo e não consta realmente qualquer trabalho ali executado por Antônio Francisco Lisboa.

Monsenhor José Maria Fernandes editou, em São João Del Rei, o *Escovilhando*, em que publicou uma série de atas e documentos das igrejas e irmandades de São João. Em 1938, publicou no *Escovilhando* nº 56: "Publiquei os termos referentes à Capela-mor do Carmo, que é a mesma de hoje, inclusive os púlpitos, que pessoas mal informadas pretendem atribuir ao Aleijadinho. Tudo é obra de Manuel Roiz Coelho. O Aleijadinho nada tem na igreja do Carmo. Se isto contrariar os forjocadores de histórias inverídicas, paciência. Não creio que por isto a bela igreja Carmelitana deixe de ser obra de arte". [119]

Um dos documentos publicados por Mons. Fernandes refere que Francisco de Lima Cerqueira foi o mestre e administrador das obras da nova capela e... "não só ele exercera o dito emprego, mas, além disso, assistira os pedreiros e fizera o ofício de arquiteto, tirando as plantas e novos desenhos, como na mesma obra se vê". [120]

Na mesma obra que citamos há pouco, Lúcio Costa afirma e muitos autores o repetem, que o autor do projeto primitivo da igreja de S. Francisco de Assis, de São João Del Rei foi Antônio Francisco Lisboa, projeto este aprovado na reunião de 4 de julho de 1774.

O mestre ilustre que desculpe, mas a verdade é outra. Na ata da reunião de 4 de julho de 1774, não consta o nome do autor do risco. Heitor Pedrosa, sob o título *As joias de São João Del Rei* escreveu: "O risco do templo de São Francisco de Assis deve-se a Antônio Francisco Lisboa. A planta foi-lhe contratada pela quantia de sessenta mil réis, segundo há do seu punho a prova de um recibo, além da ata lavrada no consistório da Ordem de 11 de setembro de 1785". [121] São exatamente as mesmas palavras, ipsis litteris, que se lêem na obra do Pe. Heliodoro Pires.[122]

Gastão Penalva, em declaração aos jornalistas, afirma que Francisco de Lima Cerqueira "de fato trabalhou nesse templo (São Francisco de Assis, de São João Del Rei), porém, como mero auxiliar do Aleijadinho". [123] Poucos dias depois, no *Diário da Noite*, do Rio, reafirma o mesmo Gastão Penalva que as esculturas de São João Del Rei são do Aleijadinho: "O português Lima Cerqueira foi apenas auxiliar do imortal artista mineiro".[124]

O ilustre escritor faz afirmações frontalmente contrárias ao que consta de documentos que citaremos a seguir.

Nos livros da Ordem de S. Francisco de Assis de São João Del Rei, a única vez em que aparece o nome de Antônio Francisco Lisboa é realmente na ata de 11 de setembro de 1785, mas nas seguintes circunstâncias: na referida ata, consta que o risco primitivo é de autoria de Antônio Martins: esse "Martins", escrito no fim de uma linha, está riscado e escrito, fora do corpo da ata, "Francisco Lisboa", com talho de letra diferente e tinta de cor diferente. Aliás na referida publicação nº 15 da Diretoria do PHAN, consta a nota nº 59, que faz referência a esse episódio: riscado o nome "Martins" e escrito, na margem, "Francisco Lisboa". Mas a nota referida vai além e afirma que o nome "Antônio Martins" não aparece mais em nenhum outro documento. Não é verdade. O nome "Antônio Martins" figura na terceira linha da fl. 12 dos Traços biográficos do Bretas, no arquivo do IHGB.

Essa emenda na ata da Ordem Terceira de São Francisco de São João Del Rei pode ter sido obra de algum ingênuo bem intencionado. Mas Germain Bazin afirma simplesmente que o escrivão se equivocara, o que era natural, e escreveu Antônio

11. Adro dos Profetas (Detalhe)
Santuário do Bom Jesus de Matozinhos — Congonhas

Martins, depois, verificou o erro, riscou o "Martins" para substituí-lo por "Francisco Lisboa".

Ora, nenhum escrivão ou secretário de irmandade faria aquela emenda da maneira como foi feita, riscando um nome e escrevendo outro, fora do corpo da ata. Nunca. Se realmente tivesse havido engano, o escrivão fa-lo-ia constar no livro, depois da ata, ou no corpo da ata seguinte, mas jamais da forma como foi feita. Além disso, o talho da letra do "Francisco Lisboa" é diferente; a emenda não foi feita pela mesma pessoa que escreveu a ata; percebe-se nitidamente uma tentativa de imitação do "F", mas nem essa preocupação se vê nas demais letras.

Luís de Melo Alvarenga, no seu trabalho sobre Francisco de Lima Cerqueira, depois de relacionar uma série de atas de reuniões da Ordem Terceira, assim se expressa: "Pelo exposto, pode-se garantir e afirmar que as mais mimosas obras de arte existentes na igreja de São Francisco de Assis de São João Del Rei são de autoria do mestre Francisco de Lima Cerqueira". E poucas linhas adiante: "Não se encontra um só documento em que se leia o nome de Antônio Francisco Lisboa, como tendo contribuído para a construção deste monumento de arte, a não ser, como se viu, pelo risco da palavra "Martins" e colocação à margem de "Francisco Lisboa". Quem teria feito a correção e se esquecido de fazer o mesmo um pouco mais abaixo? [125]

O mesmo Autor, Luís de Melo Alvarenga, analisando a relação das obras atribuídas a Antônio Francisco Lisboa pela Publicação n° 15 da Diretoria do PHAN, comentou: Quanto ao risco da igreja de São Francisco, a não ser a correção já citada, com tinta e letra diferentes, não há uma só palavra que autorize esta afirmação, pois as plantas encontradas não têm assinatura".

Aliás, na ata da reunião de 11 de setembro de 1787, consta um novo ajuste a pedido de Francisco de Lima Cerqueira; e consta nessa ata que "se determinou uniformemente continuasse o mesmo irmão Francisco de Lima debaixo do mesmo ajuste, na administração da obra, tanto a de pedra como a de madeira, zelando e promovendo todo o aumento da mesma, como fazia, e dele sempre se esperava, com a condição de fazer por suas mãos toda a lavragem do seu ofício que fosse mais mimosa e superior à capacidade dos outros oficiais." [126]

Aliás, no seu testamento, datado de 25 de maio de 1807, redigido em São João Del Rei, o artista mostra-se bastante explícito a respeito de seu trabalho: "Declaro que os mesários da Venerável Ordem de São Francisco desta vila, quando quiseram edificar a mesma capela da dita Ordem, foram pessoalmente buscar-me a Vila Rica, onde me achava, e chegando a esta vila, me empreitaram para ser o mestre da dita obra, que de fato fui, e a pus no estado em que se acha". [127]

A propósito do mestre Francisco de Lima Cerqueira, escreveu o historiador Paulo Kruger Correa Mourão:"... a história da arte colonial mineira lhe tem sido injusta, não proclamando os seus grandes e incontestáveis méritos, nem realçando a sua grande obra em São João Del Rei, cidade que ele magnificamente embelezou A razão deste fato advém da sua ofuscação pelo mestre Antônio Francisco Lisboa, cuja grande obra não se circunscreveu a apenas uma cidade, porém extravasou por extensa região de Minas.

O elogio da obra do Aleijadinho tomou tais proporções, por parte dos nossos críticos de arte, que outras figuras, como a de Francisco de Lima Cerqueira ficaram injustamente esquecidas. A nosso ver, isto foi um erro deplorável, em desacordo com a imparcialidade e justiça com que devem ser orientados os estudos históricos.

Acontece ainda que, em capelas como a de São Francisco de Assis de São João Del Rei, procurou-se com afinco caracterizar algum detalhe artístico, como tendo as linhas do estilo do Aleijadinho. A falta de documentação esclarecedora decepcionou a muitos pesquisadores que, em alguns casos, visivelmente se desinteressaram de estudar os trabalhos desse mestre vigoroso que foi Francisco de Lima Cerqueira a quem, a nosso ver, se devem quase todas as belezas de talha e, possivelmente, de escultura da linda capela de São João Del Rei". [128]

É este exagero generalizado que provocou a revolta de alguns historiadores. São tantos e tão diversos os lugares onde Antônio Francisco Lisboa teria trabalhado, que Richard Burton chamou-lhe "ubíquo". Ao descrever a grande obra de Congonhas, registrou o viajante inglês: "O artífice foi o ubíquo Aleijadinho". [129]

O mesmo adjetivo — ubíquo — empregou-o Eduardo Frieiro: "Único no seu tempo, prodigiosamente ubíquo, teria deixado imperecíveis testemunhos de seu risco, sua goiva e seu escopro em Ouro Preto, em Mariana, em Sabará, em Caeté, em São José e São João Del Rei, em Congonhas do Campo e Congonhas do Sabará, em Santa Luzia, em São João do Morro Grande, em Taboca e Jaguara..." [130]

Augusto de Lima Júnior pintou bem uma fase vivida em Minas, onde toda obra artística tinha que ser do Aleijadinho: "Não sai detrás de um altar de Minas uma velha imagem quebrada, um castiçal em pandarecos ou qualquer fragmento de voluta empoeirada que, imediatamente, não se reúna a população local, entusiasmada, para ouvir o sábio da terra afirmar com satisfação geral: "Provavelmente é obra do Aleijadinho". [131]

No seu livro *Verdades Históricas*, Salomão de Vasconcelos registrou seu protesto contra a mania de atribuir ao Aleijadinho toda obra artística antiga: "Hoje, quase não se encontra um trabalho de talha em pedra talcosa, em qualquer edifício colonial, que não se atribua ao genial artista". [132]

Insiste, pouco adiante, o ilustre historiador: "tudo quanto se encontra em pedra-sabão no frontispício, nos púlpitos, nos lavabos e noutros ornatos dos templos de Minas passa como do insigne artista". [133]

Quando, num dos seus belíssimos artigos, José Mariano, filho, incluiu, entre as obras do Aleijadinho, o pórtico do convento de Congonhas, Feu de Carvalho protestou: "Não é possível, pois Antônio Francisco Lisboa morreu em 1814 e, no pórtico referido, vê-se, nitidamente, gravada a data "1844". [134]

Chegou a surgir, em Minas, sobretudo no seio da gente do SPHAN, verdadeiro fanatismo, em torno da arte de Antônio Francisco Lisboa. Tudo era obra do genial mulato. Exemplo de fanatismo vamos encontrar na obra de Cônego Trindade: Historiador sério, honesto e consciencioso, parece que acabou vítima desse quase histerismo, em torno da figura do Aleijadinho. Na sua obra notável sobre a igreja de São Francisco de Assis de Ouro Preto, toda ela muito bem documentada, escreveu sobre a fachada: "A primorosa fachada que admiramos em S. Francisco, essa obra-prima em que sublimou a arte do Aleijadinho e que nos faz justamente orgulhosos do imortal compatrício que a idealizou e realizou..." Em seguida, publica Cônego Trindade o registro do documento sobre o pagamento da quantia de 14$400 a Antônio Francisco Lisboa, pelo risco da portada. E insiste: o projeto é dele, porque o afirma a Ordem no seu Livro I de Receita e Despesa, fl. 146. Além de ter sido o autor do risco, foi o Aleijadinho quem realizou a obra. Depois de insistir nesse ponto, informa que a obra foi à praça, foi arrematada por José Antônio de Brito e, na página seguinte, publica as anotações referentes ao pagamento ao mesmo José Antônio de Brito de quatro parcelas que totalizam a importância de 600$000 (seiscentos mil réis), fabulosa em 1774; e elogia o mesmo José Antônio de Brito como "canteiro de ótimos créditos" entre os artistas de Ouro Preto. Pois bem, pois o cônego continua, depois disso, a afirmar que foi o Aleijadinho quem realizou a obra da fachada da igreja.[135]

Os exageros com relação ao Aleijadinho chegaram a ponto de Afonso Celso, em discurso em Ouro Preto, declarar que ele "aparelhou segundo a voz popular um instrumento semelhante aos modernos aeroplanos, com o qual conseguiu, antecessor de Santos Dumont, desprender-se da terra e cavalgar a inconsistência do espaço". [136]

Feu de Carvalho chegou a formular esta questão: "Todo trabalho com escultura, bem feito, deslumbrante e maravilhoso, existente nas velhas cidades de Minas, é atribuído ao Aleijadinho; mas, perguntamos, que ficaria então para os outros grandes artistas e oficiais do mesmo ofício daqueles tempos?"[137]

Feu de Carvalho publicou, no seu livro, o clichê do registro de batismo de "Antônio, filho de Isabel, escrava de Manuel Francisco da Costa". Esse registro de batismo foi publicado também por José Mariano, filho, na revista *O Cruzeiro*. [138] Ora, o prof. Bretas, na sua monografia, acrescentou, por sua conta, o "Lisboa" ao nome de Manuel Francisco da Costa. Esse pequenino pormenor não deixa de desvalorizar o trabalho de Rodrigo Bretas. Historiador não procede assim. Esse nome — Manuel Francisco da Costa Lisboa — não aparece em nenhum documento conhecido. Vimos um Manuel da Costa Lisboa como mineiro abastado, na "Relação particular e secreta dos homens de negócio mineiros e tropeiros, que vivem nas Minas, mais abastados", assinada por Domingos Pinheiro, Provedor da Fazenda Real, datada de "Vila Rica, 25 de julho de 1756".[139]

O livro de Feu de Carvalho é, todo ele, um grito de protesto contra os exageros; e os últimos capítulos são dedicados ao exame da obra de Renato Alves Guimarães, que apresenta também uma infinidade de obras como sendo do Aleijadinho. Mário de Andrade não gostou do livro de Feu de Carvalho: "É um bem estranho livro, em que o sr. Feu de Carvalho, legítimo São Tomé da História pátria, custa a reprimir a sua má vontade contra o Aleijadinho". Ora, o que Feu de Carvalho fez foi protestar contra o exagero de se atribuir as obras de quase todas as velhas igrejas de Minas ao Aleijadinho. Nada mais. Já Aires da Mata Machado Filho reconheceu que a obra de Feu de Carvalho "pode ter contribuído para aumentar as pesquisas arquivísticas sobre o Aleijadinho". "Ajudou a pôr cobro à proliferação de lendas mirabolantes, como aquela divulgada pelo Conde de Afonso Celso..."[140]

AS LIÇÕES DO ALEIJADINHO

Vianna Moog viu, no pouco que se conhece da vida do Aleijadinho, lições que constituem legítimas mensagens pedagógicas, que o artista legou aos brasileiros.

O fato de o Aleijadinho empregar, na execução dos profetas de Congonhas, assim como na de diversos trabalhos de ornamentação, a pedra-sabão, assinala uma lição de iniciativa e técnica, "numa completa adequação à realidade brasileira.

Comentando essa lição apontada por Vianna Moog, Germain Bazin afirma que o Aleijadinho foi "o grande mestre dos brasileiros". Ao desistir do mármore, que não tínhamos, para trabalhar em pedra-sabão, que possuíamos em abundância, deu o artista aos brasileiros essa grande lição de adaptação à realidade brasileira. Germain Bazin frisa bem que o Aleijadinho foi o primeiro artista a realizar escultura em pedra-sabão, "que não era praticada antes dele". [141]

Outra lição do Aleijadinho, que Vianna Moog aponta, reside no trabalho de equipe. Realmente, nos recibos que se conhecem, assinados por Antônio Francisco Lisboa, em Congonhas, o artista costumava declarar: "Eu e os mais oficiais que comigo trabalham ..." ou então, como no recibo seguinte: "Recebi do Irmão Vicente trezentas e cinquenta e cinco oitavas e três quartos e seis vinténs de ouro procedidas da fatura das imagens dos Passos do Senhor que vencemos eu e os mais oficiais neste presente ano..." [142]

No ajuste estabelecido com a Irmandade do Carmo, de Sabará, em 25 de novembro de 1780, ficou fixado o salário do Aleijadinho em duzentos mil réis por ano; e dos seus oficiais, ficou assim fixado: José Soares, 60 oitavas por ano; Tomás Velasco, também 60 oitavas por ano; José Raiz, 12 vinténs por dia; Joaquim J. da Silva, também

12 vinténs por dia. O interessante, no ajuste, é ter ficado constando que os aprendizes trabalhariam gratuitamente.

Não tivesse o artista preparado seus discípulos e escravos, incutindo-lhes o hábito do trabalho, numa época em que proliferavam os chamados "vadios", classe constituída de negros e mulatos forros, que amarguraram a administração do Conde de Valadares (1768-1773), de D. Rodrigo José de Menezes (1780-1783) e de Luís da Cunha Menezes (1783-1788), e certamente não teríamos hoje o maravilhoso conjunto barroco de Congonhas.

É conveniente lembrar que os negros e mulatos forros, além de alguns poucos brancos, constituíam, na escala social, a última categoria de homens livres, na Capitania, a dos chamados "vadios". O Desembargador José João Teixeira frisou que os vadios, "a exceção de pequeno número de brancos", eram todos "mulatos, cabras, mestiços, e negros forros". Tão numerosos eram (formavam dezenas de milhares) e tão díspares os seus comportamentos, que longe estavam de constituir uma classe homogênea; entre os vadios encontravam-se desordeiros, escandalosos, brigões, ladrões etc., isto talvez resultasse de um desequilíbrio emocional, resultante da própria insegurança, do marginalismo dos mestiços em geral. Os mulatos e negros forros que se recusavam a trabalhar, alegavam que, sendo livres, se igualariam aos escravos, se trabalhassem. Um grande número de vadios era constituído de gente desocupada, mas pacífica, que gostava da boa música, tocava seus instrumentos e cantava; era gente benquista e sempre bem recebida em qualquer meio, sobretudo entre os fazendeiros. Eles não trabalhavam, não tinham um ofício, mas, aonde quer que chegassem, eram bem recebidos e o prato de comida lhes estava garantido. Explica-se, desta forma, porque muitas determinações governamentais, algumas bem severas, com relação aos vadios, tinham esbarrado na oposição dos fazendeiros que protegiam os vadios, que lhes proporcionavam horas de suave alegria, depois dos afanosos trabalhos do dia.

Eram tão numerosos os vadios, que deles se ocuparam as *Primeiras Constituições do Arcebispado da Bahia*, espécie de *vade-mecum* adotado no Brasil inteiro. No art. 154, assim eram definidos os vadios: "São aqueles que deixando totalmente de fato e no ânimo o lugar de sua origem, andam de uma parte para outra e em nenhum lugar têm domicílio permanente".

Havia, entretanto, os negros e mulatos forros que trabalhavam, em número reduzido, é claro; eram exceções à regra geral. E o Aleijadinho, mulato, era uma dessas exceções; livre, desde o batismo, foi o exemplo constante de dedicação ao trabalho sério, trabalho construtivo, trabalho que, hoje, constitui motivo de orgulho para Minas Gerais.

Entretanto, a maior das lições que o Aleijadinho deixou aos brasileiros foi, sem dúvida, a de ter perseverado nos seus trabalhos, mesmo depois de atacado por misteriosa enfermidade, mesmo aleijado, mesmo como deficiente físico. Qualquer outro, ante a situação em que se viu, de ter que ser transportado para o local de trabalho, de ter, para trabalhar, que se adaptassem "os ferros e o macete às mãos imperfeitas", teria naturalmente desistido e apelado para outra forma de vida mais fácil, à custa da caridade pública, o que era tão comum. Mais: "Tinha um certo aparelho de couro, ou madeira, continuamente aplicado aos joelhos e, neste estado, admirava-se a coragem e agilidade com que ousava subir pelas escadas de carpinteiro".

Essa perseverança no trabalho, apesar de suas deficiências físicas, essa tenacidade e quase obstinação do grande artista em realizar seus trabalhos, lutando com tamanhas dificuldades, foi, indubitavelmente, a maior das lições que nos deixou o Aleijadinho.

12. Adro dos Profetas — Profeta Ezequiel (Detalhe)
Santuário do Bom Jesus de Matozinhos — Congonhas

"O artista alcandorou-se", escreveu Aires da Mata Machado Filho, "ainda com o peso nas asas. Nada o esmoreceu, nem a humildade de sua origem, nem o aleijão justamente nas mãos, com que trabalhava. Revelou possuir vontade bem temperada. Enfrentou as dificuldades, esmagou-as, viveu em estado agônico para superar..." [143]

Esta pertinácia, esta tenacidade, esta perseverança no trabalho caracterizam justamente o gênio, o homem fora da média comum dos homens da época.

O Aleijadinho adoeceu em 1777, afirma com segurança o seu biógrafo, Rodrigo Bretas. Tinha, então, o artista, 39 anos de idade. Justamente em 1777, consta o pagamento de meia oitava de ouro a dois pretos que carregaram o artista, para que pudesse rever o risco da igreja de N. Sª das Mercês e Perdões de Vila Rica. [144]

Ora, se morreu em 1814, concluímos que, por 37 anos, o Aleijadinho carregou sua triste sina, trabalhando continuamente, nas condições mais desfavoráveis. E como a doença foi gradativamente minando-lhe o organismo, segue-se que, em 1796, quando deu início, em Congonhas, aos trabalhos das imagens dos Passos, seu estado deveria exigir um esforço quase sobre-humano para executar suas obras-primas.

Verdadeiro precursor do movimento internacional pela recuperação e readaptação dos aleijados à vida social, "precursor também dos aparelhos de prótese, ele mesmo inventa os instrumentos que lhe completam as mãos e as joelheiras que lhe possibilitem mover-se de um lugar para outro".[145]

O RETRATO DO ALEIJADINHO

Saint Hilaire, ao visitar Congonhas, em 1818, registrou: "De um dos lados do templo, existe uma casa chamada "Casa dos Milagres", onde se acha reunida, em uma grande sala, uma tão prodigiosa quantidade de oferendas e membros de cera, que não cabe mais nada". [146]

Djalma Andrade, no livro *Bom Jesus*, tem longo capítulo sobre a referida "Casa dos Milagres". Só que Djalma Andrade descreveu-a mais de 130 anos depois da visita do cientista francês. Achou-a também abarrotada de ex-votos. Vamos transcrever uma parte pequena do capítulo de Djalma Andrade: "Uma das dependências mais importantes do Santuário do Bom Jesus de Matozinhos de Congonhas é o salão dos milagres.

Nesse departamento estão representados, as mais das vezes, em telas toscas, os grandes prodígios operados pelo Senhor Bom Jesus em todo o Brasil.

Não há arte nessas pinturas feitas pela mão agradecida dos crentes no ardor da fé. Esses quadros não deixam, entretanto, de impressionar os visitantes. No pincel que os fez desculpa-se a falta de arte, para se admirar a grandeza da fé e o extraordinário do milagre.

Damos em seguida, na mesma ordem observada pelo Monsenhor Júlio Engrácia em seu livro, um resumo dos quadros expostos no salão dos milagres, com as suas respectivas inscrições:

Com a data de 1758, um quadro pequeno a óleo, tosco, com a seguinte letra: Milagre que fez o Senhor de Matozinhos a Francisco de Borja que padecendo uma grave moléstia que seria obrigado a cair por terra, ainda depois de deitado e sem uso dos sentidos, por misericórdia do mesmo Senhor, se vê hoje livre da dita moléstia, gozando de perfeita saúde e para memória mandou fazer este no ano de 1758.

Um dito com a letra: Milagre que fez o Sr. Bom Jesus de Matozinhos cuja imagem se venera na sua capela no arraial de Congonhas do Campo, ao Capitão Domingos da Silva Neves que enfermando gravemente em princípio de maio de 1758, de uma depravação na massa do sangue e na dos humores, sem obedecer a vários remédios que se lhe aplicaram na forma da arte, padeceu até princípio de dezembro do mesmo ano, tempo em que ofereceu ao mesmo Senhor, com sua oferta para suas obras, logo cobrou a melhora, tem passado bem desde dezembro de 1758 até agosto de 1759 e se considera livre da referida moléstia.

Um idêntico com a letra: Milagre que fez o Senhor de Matozinhos a Tereza da Circuncisão de Jesus, estando doente para morrer e apegando-se com o dito Senhor alcançou saúde a 27 de maio de 1759.

Um idêntico diz: Milagre que fez o nosso Senhor de Matozinhos a José Carvalho de Azevedo, livrando-o de uma hidropisia, no ano de 1759.

Em um idêntico lê-se: Milagre que fez o nosso Senhor de Matozinhos por intercessão de S. Francisco de Paula a Vitória da Silva: estando doente de uma malina e pontada, quase à morte, invocou o patrocínio do dito Senhor e logo alcançou a saúde no ano de 1760.

Um dito com a letra: Gonçalo Dias estando gravemente enfermo, invocou o Senhor Bom Jesus e logo alcançou a melhora no ano de 1761.

Idêntico com o dizer: Milagre que fez o Senhor de Matozinhos a Maria de Jesus, mulher de José Silveira Gomes, moradores no Passatempo, que estando muito má de parto e apegando-se com o dito Senhor logo cobrou melhoras: no ano de 1763.

Outro igual dizendo: Mercê que fez o Bom Jesus de Congonhas a Ana Maria de Jesus, que estando gravemente enferma em perigo de vida, apegou-se com o dito Senhor e logo foi curada no ano de 1764.

Em um igual lê-se: Milagre que fez o Sr. Bom Jesus de Matozinhos a João José Machado, que estando carregando sua espingarda, o tiro disparou acertando no braço esquerdo e estando em perigo de cortar o braço, ele implorou o auxílio do dito Senhor e logo obteve cura: no ano de 1765.

Um quadro a óleo datado de 1768 com a epígrafe: Mercê que fez o Senhor Bom Jesus de Matozinhos a Antônio de Morais Pessoa que, estando sofrendo de uma hidropisia d'água, que já estava muito inchado, sarou por mercê do mesmo Senhor no ano de 1768.

Com a mesma data, um quadro a óleo com o dizer: Milagre que fez o Senhor Bom Jesus de Matozinhos à mulher de Rafael Carneiro que, estando com dores para dar à luz, durante três dias e três noites, precedidos de uma queda, e vendo neste aperto se apegou ao dito Senhor e logo deu à luz uma criança que chegou a receber a água do batismo no ano de 1768.

Com a mesma data um que diz: Milagre que fez a D. Quitéria Maria de Barros, mulher do Cap. José Rodrigues de Carvalho que, estando de parto, em grande perigo, se apegou com o mesmo Senhor, e logo ficou livre do perigo no ano de 1768.

Um outro diz laconicamente: Milagre que fez o Senhor Bom Jesus a Maria Augusta em uma moléstia que padeceu em 1771.

Um outro diz: milagre que fez o Senhor Bom Jesus a Cláudio de Oliveira que estando atacado de um grave incômodo e apegando-se com Ele logo sarou. No ano de 1777.

Com a mesma data um outro com o dizer: Ao Bom Jesus de Matozinhos expôs este quadro votivo Vicente Ferreira de Carvalho, o qual, estando muito mal e já

13. Igreja de São Franscico de Assis — Portada (Detalhe)
A Visão de Alverne — Ouro Preto

sem esperança de vida, ele e sua mulher imploraram o poderoso auxílio do mesmo Senhor, e logo ele ficou são, perfeito; *Cantate Domino Canticum novum*. No ano de 1777.

Em um igual lê-se: Milagre que fez o Senhor de Matozinhos a Inácia Maria Rosa que estando gravemente enferma, apegando com o Senhor, logo achou-se em melhoras. No ano de 1778.

Em um quadro a óleo, se lê: Milagre que fez N. S. Bom Jesus de Matozinhos a Custódio Francisco Pereira, morador em Catas Altas de Noruega que, estando doente de uma chaga na perna direita, passou 4 anos e apegando-se com o Senhor foi servido: deu-lhe saúde e ficou livre de ficar aleijado. A 4 de outubro de 1785.

Um idêntico narra o seguinte: Milagre que fez o Senhor Bom Jesus de Matozinhos a Maria Ferreira da Silva que, estando gravemente enferma, apegou-se com o referido Senhor e logo alcançou cura. No ano de 1788.

Em um pequeno quadro a óleo está escrito: Milagre que fez. N. S. de Matozinhos a Pedro, escravo de Antônio Pereira Goulart, que estando gravemente enfermo, suplicou ao dito Senhor e logo ficou são. No ano de 1800.

Outro igual diz: Milagre que fez o Senhor de Matozinhos a Antônio Cassimiro Gomes da Mata que caindo gravemente enfermo de um ataque, proveniente de uma indigestão e sem fala por três dias, a irmã apegando-se com o Senhor de Matozinhos, foi restabelecida sua saúde e para constar este grande milagre, mandou fazer este quadro por memória. No ano de 1811.

Outro diz: Milagre que fez o Senhor Bom Jesus de Matozinhos a Ana Maria de Jesus que estando gravemente enferma com um tubérculo e já muito inchada e desenganada pelos médicos, pegando-se com o mesmo Senhor ficou sã. Em outubro de 1813.

Outro diz: Milagre que fez o Senhor de Matozinhos a Antônio Alves de Góis que estando gravemente enfermo, por milagre do mesmo Senhor recobrou a saúde O ano de 1813.

Diz outro: Milagre que fez o Senhor Bom Jesus e Congonhas do Campo a Manuel da Costa, morador no arraial da Espera, que estando gravemente enfermo, apegou-se com o mesmo Senhor e logo alcançou perfeita saúde. No ano de 1815.

Um igual diz: Milagre que fez o Senhor Bom Jesus de Matozinhos a Manuel, escravo do Guarda-mor José Moreira, curando-o de uma inflamação mortal. No ano de 1818.

Um dito com a legenda seguinte: Milagre que fez o Senhor Bom Jesus a Rosalina Angélica que caindo dentro de um tacho de sabão ficando toda queimada e sem esperança de vida, se apegou com o dito Senhor e sarou. No ano de 1819.

Em outro quadro a óleo lê-se: Milagre que fez o Senhor Bom Jesus de Matozinhos a Antônia, escrava de Maria Tereza, que estando em chagas por todo o corpo, chegando por vezes a fazer termo para morrer, o referido Senhor a curou e está sem lesão. No ano de 1819.

Um diz laconicamente: Milagre que fez o Senhor Bom Jesus a um seu devoto, no ano de 1831.

Um quadro em paisagem diz: Milagre que fez o Senhor Jesus de Matozinhos a Guilherme Mendes e ao seu companheiro Francisco, que vindos de Ouro Preto, entraram no Rio da Soledade, e quando estavam no meio, veio uma grande enchente, que os ia levando, então chamaram pelo mesmo Senhor e segurando nos galhos das árvores, saíram sem nenhuma dificuldade, e, para isto, mandou pintar este quadro. No ano de 1839.

Em um quadro a crayon lê-se: Em 1870, achando-se Joaquim Gomes Maciel arranchado com sua tropa, no morro da Cabeça Branca, no momento de desarrear os animais, achou-se repentinamente laçado por um cabresto e arrastado por uma besta e ia, sem dúvida, ser vítima deste acontecimento, quando seu camarada, Manuel Fernandes Gomes, gritando por N. S. Bom Jesus de Matozinhos, o animal parou de repente, até que os camaradas o livraram facilmente. Em testemunho de agradecimento por tão generoso milagre, manDel fazer e colocar este quadro nesta casa". [147]

Seguem-se páginas e páginas, em que o Autor menciona retratos e mais retratos, geralmente a óleo, com a descrição do milagre conseguido. Nessa sala dos milagres, os objetos, pernas de cera, braços de cera, quadros a óleo, a crayon etc. têm que ser renovados, pois, em 1818, já Saint-Hilaire escrevia que "não cabia mais nada".

Com a renovação periódica dos ex-votos da Casa dos Milagres, alguns objetos de mais valor passam a ser negociados por comerciantes de Congonhas. Foi-o que aconteceu com o retrato a óleo de um preto, bem trajado, vistoso, simpático, parecidíssimo com Pelé, e que hoje está proclamado o retrato oficial do Aleijadinho.

Um comerciante de Congonhas vendeu o retrato, em 1916, ao Sr. Baerlein, proprietário de uma relojoaria no Rio, afirmando que o mesmo era retrato do Aleijadinho, pois, no fundo do retrato, apareciam algumas imagens que seriam de autoria do genial artista (Está provado hoje que as imagens nada têm com o Aleijadinho). O referido Sr. Baerlein vendeu-o, no Rio, ao colecionador Bastos Dias. Este transferiu mais tarde o referido quadro a um antiquário de nome Esslinger, sempre com a informação de que era retrato do Aleijadinho. Posteriormente, o antiquário vendeu o mesmo quadro ao milionário Dr. Guilherme Guinle, acrescentando outra informação: o quadro fora pintado por Ataíde (era o único pintor mineiro do período colonial que conhecia). O milionário, por intermédio do Dr. Nelson Libânio, casado com uma sobrinha sua, ofereceu o referido quadro ao Arquivo Público Mineiro, em março de 1941.

O retrato permaneceu esquecido no Arquivo, por vários anos, até que o Sr. Chiquiloff se entusiasmou com a notícia de que o retrato seria do Aleijadinho; e deu início a uma campanha junto a jornalistas e cronistas sociais, a respeito do referido quadro. Fez várias tentativas, no sentido de ser o retrato reconhecido como do genial artista mineiro, até que, afinal, encontrou um deputado que apresentou à Assembleia Legislativa do Estado um projeto de lei, pelo qual o referido retrato era proclamado o retrato oficial do Aleijadinho.

Ao projeto de lei n° 314/71, foi anexado um atestado falso do Dr. Luciano Amédée Peret, conhecida autoridade no assunto. Eu denunciei a tramoia, em artigo publicado na primeira página do Caderno 2 do Estado de Minas de 10 de junho de 1972. O projeto de lei acabara de ser aprovado em 2ª discussão. Acredito piamente que, no Rio, em São Paulo, no Rio Grande do Sul, ou no Ceará, minha denúncia teria provocado grande celeuma. Ora, se o retrato era genuíno, autêntico, que necessidade havia de se usarem tais manobras indecorosas, como a apresentação de um atestado falso de uma autoridade no assunto?

O Dr. Luciano Amédée Peret chegou a examinar realmente o retrato e sobre o mesmo escreveu longo relatório. Nesse relatório, há dois aspectos que desejo focalizar, para comparar com o retrato descrito por Rodrigo Bretas. O Dr. Amédée Peret escreveu: "pouca barba". Rodrigo Bretas: Cabelo "da barba cerrado e basto". Dr. Amédée Peret: "cabelos pretos, cortados, pintados como se fossem para trás". Rodrigo Bretas: "cabelo preto e anelado".

Argumentemos ainda: enquanto o Aleijadinho era mulato perfeito, de feições normais, não tinha a fama necessária para ser pintado por nenhum artista; depois que adquiriu notoriedade como escultor, adoeceu, a boca entortou-se, o queixo e o lábio inferior abateram-se, o olhar adquiriu expressão sinistra e passou a apresentar aspecto asqueroso. Nada que pudesse ter a menor semelhança com o retrato. Além disso, a situação de mulato, que já comentamos, não admitiria jamais que viesse a posar para um artista. Realmente, o quadro não passava de um ex-voto vendido por comerciante de Congonhas.

Na Assembleia, o projeto acabou aprovado em 3ª discussão e enviado ao Governador do Estado para sanção. O então Governador Rondon Pacheco, pediu o parecer do Conselho Estadual de Cultura. E este Conselho aprovou, por unanimidade, o parecer de autoria do Conselheiro Joaquim Ribeiro Costa, muito longo, que conclui declarando que "não há motivo, por ausência absoluta de elementos comprobatórios, para que se faça qualquer pronunciamento oficial sobre a autenticidade ou não do quadro de que trata o processo, ou sobre a adoção do retrato nele contido como efígie oficial única de Antônio Francisco Lisboa, o Aleijadinho".[148]

De conformidade com os termos do parecer do Conselho Estadual de Cultura, o Governador Rondon Pacheco vetou o projeto, sob a alegação de que "o governo não pode lançar sua chancela consagrando como autêntico e, portanto, oficial, por carência de elementos comprobatórios, um retrato como sendo do artista, que é expressivo patrimônio cultural do Estado de Minas e do Brasil". [149]

Acontece que havia interesses em causa. Assim, apesar da denúncia de que, ao projeto de lei fora anexado um atestado falso de um técnico, apesar do parecer do Conselho Estadual de Cultura, apesar das razões constantes do veto do Governador, foi esse veto rejeitado e o projeto transformado em lei estadual.

Comentando o assunto, tão logo se iniciaram as discussões, Djalma Andrade, em sua crônica diária no Estado de Minas, assim concluiu suas considerações: "As professoras é que vão arcar com um sério problema. Pois pintarão um Aleijadinho disforme e, depois, mostrarão aos alunos sua imagem, um belo rapaz." [150]

OUTROS PROBLEMAS HISTÓRICOS

Salomão de Vasconcelos, pela sua própria função de funcionário do antigo SPHAN, e por incumbência especial do Diretor, Rodrigo M. F. de Andrade, passou anos, procurando, pelos arquivos, dados sobre Antônio Francisco Lisboa e Manuel Francisco Lisboa.

Num cartório de Mariana (tabelião Garcia Gomes Pilos), encontrou no Livro 5.°, fl. 3, ano de 1717, uma assinatura de Antônio Francisco Lisboa, numa procuração. A assinatura era absolutamente idêntica às assinaturas do genial artista, publicadas nas revistas do SPHAN.

No Arquivo Público Mineiro, num registro de escravos, feito no ano de 1718, descobriu Salomão duas assinaturas do declarante, Antônio Francisco Lisboa. [151]

Comparou-as com as assinaturas do Aleijadinho e achou-as parecidíssimas. Salomão reuniu as três assinaturas diferentes, a encontrada no cartório de Mariana, a descoberta no Arquivo Público Mineiro, secção da Delegacia Fiscal, e a assinatura do artista, num dos conhecidos recibos impressos; publicou um artigo no *Diário de Notícias*, do Rio, em que fez estampar as três assinaturas.

Pela aludida publicação, pode-se verificar que são realmente muito semelhantes as três assinaturas. São aparentemente idênticas; e Feu de Carvalho não teve dúvidas em publicar um comentário no *Correio da Manhã*, declarando as três assinaturas como autênticas do Aleijadinho.

José Mariano, filho, foi além e, em artigo estampado no *Diário de Notícias*, argumentando que as assinaturas encontradas por Salomão deveriam ser autênticas do genial artista; e supondo que um homem, para fazer uma procuração e para declarar a posse de escravos deveria ter, pelo menos, 24 ou 25 anos, chegou a alvitrar o ano de 1693 para o nascimento de Antônio Francisco Lisboa. Vinha, a seguir, a conclusão: se em 1693 não existiam ainda as Minas Gerais (1693 é historicamente o ano da primeira descoberta de ouro atribuída a Antônio Rodrigues Arzão, provou-o Basílio de Magalhães), logicamente o Aleijadinho não deveria ser mineiro, mas nascido em outras plagas.

Essa hipótese, entretanto, foi recebida com reservas, pois, se aceita, deveríamos admitir o Aleijadinho com 121 anos, em 1814, por ocasião do seu falecimento.

Salomão confessou-se impressionado, a princípio: "Nós mesmos, ao defrontar, nos códices, as duas assinaturas referidas, entramos em dúvida, ou antes, inclinamo-nos a reconhecer como próprias do Aleijadinho as duas rubricas em questão. E tanto mais se robusteceu em nosso espírito essa tendência, quando encontramos ainda no registro paroquial do Sumidouro de Mariana, um Antônio Francisco (evidentemente o da primeira ou da segunda assinatura) executando trabalhos de talha na escada do coro da Matriz local".[152]

Entretanto, mais tarde, realizando um estudo comparativo mais minucioso das letras de cada uma das três assinaturas, uma espécie de exame pericial, foram aparecendo as divergências. No primeiro clichê, o "A" do Antônio é feito em dois tempos. A perna inicial do "A" começa de cima para baixo, da direita para a esquerda; a segunda perna, que forma o corte do mesmo "A", prolonga-se na formação do "n" etc. O "A" da assinatura do Aleijadinho (terceiro clichê) começa de forma natural, da esquerda para a direita etc.; e foi analisando letra por letra, para, afinal, chegar à conclusão positiva de que as três assinaturas pertenciam a três pessoas diferentes.

Ora, o ilustre historiador Dr. Ivo Porto de Menezes descobriu, nos arquivos portugueses, um curiosíssimo documento, com a assinatura de Antônio Francisco Lisboa: uma petição da Câmara da Vila de São José Del Rei (atual cidade de Tiradentes), datada de 23 de abril de 1768. A assinatura de Antônio Francisco Lisboa é justamente a primeira, isto é, devia ser o Presidente da Câmara, que é quem geralmente assinava os papéis da Câmara em primeiro lugar, e, logicamente, o Juiz Ordinário e Agente Executivo Municipal. O Dr. Ivo Porto de Menezes acrescenta o seguinte comentário: "A assinatura, confrontada com recibos do Aleijadinho, comprova ser a mesma pessoa do artista. Seria ele, então, vereador em S. José Del Rei, hoje cidade de Tiradentes?" [153]

A data, 1768, está perfeitamente dentro da vida do Aleijadinho, que deveria ter, naquela data, 30 anos. Entretanto, dois argumentos nos levam a concluir que se trata de homônimo. Aleijadinho nunca foi vereador em São José Del Rei. Em primeiro lugar, com 30 anos de idade, é pouco provável que alguém seja elevado à função de Juiz Ordinário. Para esse cargo eram escolhidos, quase sempre, homens de idade mais avançada. Em segundo lugar, a cor do Aleijadinho era um empecilho ao exercício do cargo de vereador e mais ainda, de Juiz Ordinário. Havia uma determinação real nesse sentido. O Conselho Ultramarino, considerando que, a princípio, por falta de gente de limpo nascimento, houve tolerância em admitir mulato no ofício de vereador; considerando, porém, que hoje (1725), "sendo uma grande parte das famílias de seus moradores de limpo nascimento..." "...se faz indecoroso que eles sejam ocupados por pessoa em que haja semelhante defeito..." etc. O parecer aprovado por unanimidade, em 25 de setembro de 1725, foi encaminhado a S. Majestade.[154]

14. Igreja de São Francisco de Assis
Fachada — Ouro Preto

D. João, por carta régia de 29 de janeiro de 1726, depois de repetir as mesmas considerações contidas no parecer do Conselho, determinou ao Governador de Minas Gerais "não possa daqui por diante ser eleito vereador ou Juiz Ordinário, nem andar na governança das vilas dessa Capitania homem algum "que seja mulato dentro dos quatro graus que o mulatismo é impedimento e que da mesma sorte não possa ser eleito o que não for casado com mulher branca ou viúvo dela".[155]

A carta régia determinava que a real ordem fosse registrada nos livros das Câmaras e nos das Ouvidorias.

Nós sabemos que, nas vilas do ouro, depois de estabelecida a máquina administrativa com funcionários bem remunerados, aos poucos foram-se estratificando as classes sociais, de maneira bastante rígida. No começo, porém, alguns mulatos foram eleitos vereadores. As autoridades portuguesas sempre se mostraram exigentes e rigorosas, na discriminação racial. G. W. Freireyss (*Viagem ao Interior do Brasil*) pg. 109, Itatiaia — Edusp, 1982) observou que o termo "mulato" era ofensivo e empregado pelos brancos "com desdém"; Freireyss registrou que o mulato julgava-se melhor que o caboclo (o Autor chama "caboclo" ao filho de pai europeu e mãe índia) e que o cabra (Freireyss explica o que era cabra: filho de pai mulato e mãe negra). Mas insistia em dizer que o mulato era constante alvo de zombarias dos brancos.

A discriminação racial era fato concreto. Algumas irmandades eram excessivamente rigorosas, quanto à pureza de sangue, para admissão de irmãos. A Irmandade do Santíssimo Sacramento de Paracatu só admitia "brancos sem nota pública em seu sangue e procedimento". Outras eram ainda mais rigorosas: A irmandade das Almas de Casa Branca (atual Glaura), exigia: "os irmãos que se houverem de aceitar nesta nossa Irmandade serão conhecidos cristãos velhos de limpo sangue, sem rumor em contrário ..." A Ordem Terceira do Patriarca S. Francisco de Mariana exigia no cap. 24: "se é branco legítimo, sem fama ou rumor de judeu, mouro, ou mulato, carijó ou outra infecta nação..." Outras havia mais liberais, como, por exemplo, a do Senhor Bom Jesus de Matozinhos do arraial do Bacalhau: "Toda pessoa que se quiser alistar por irmão desta Irmandade do Senhor Bom Jesus de Matozinhos, seja homem, ou mulher, branco, pardo ou preto, escravo ou livre, se lhe fará assento".

Nas igrejas das irmandades de brancos, a discriminação era total e aparentemente aceita, de modo geral, por todos: na parte da frente, vizinha do altar, ficava a área reservada aos irmãos; o centro da igreja era destinado às mulheres; nos lados, isto é, nos corredores, à direita e à esquerda, ficavam os "homens bons"; isto é, brancos, proprietários, os homens de posição social; e na parte de trás, junto às portas de entrada, ficavam os negros, cabras, pardos e mulatos. A separação era total e completa. E aceita pacificamente, pelo menos na aparência.

Nas matrizes, a parte da frente, vizinha do altar, era destinada aos irmãos do Santíssimo Sacramento.

Negros e mulatos tinham, a princípio, vedado o acesso ao sacerdócio. Com o correr dos anos, foi-se abrandando a exigência. Tivemos padres pretos e mulatos. Pe. Manuel de Jesus Maria, o grande e extraordinário apóstolo dos índios do Rio Pomba, era mulato, filho de pai português e mãe africana. Os jesuítas adotavam um sistema curioso, com o fim de consolar os mulatos que desejavam ingressar na Companhia. Por mais virtuosos que fossem, por mais dedicados que se mostrassem e mais afeiçoados à congregação, eram os mulatos admitidos como membros apenas *in articulo mortis*, como prêmio de consolação. [156]

Note-se que o número de mulatos sempre foi grande. Freireyss anotou: "seu número cresce dia a dia". Rugendas registrou, em 1835, o total de 170.000 mulatos, só em Minas, dos quais apenas 40.000 eram escravos, ou seja, cerca de 1/4 do total.

Se os brancos zombavam dos mulatos, como observou Freireyss, por outro lado, mostravam uma queda especial pelas mulatas. Notamos isso até nos preços de venda das mulatas. Antonil, impressionado com os valores das mercadorias, no início do Século XVIII, em Minas, época da primeira inflação no Brasil, registrou os "preços de coisas comestíveis", os "preços das coisas que pertencem ao vestuário e às armas" e os "preços dos escravos e das cavalgaduras". Pois bem, o preço mais elevado que registrou é o da mulata. Um negro bem feito, valente e ladino custava 300 oitavas. Um crioulo, bom oficial, 500 oitavas. Uma negra ladina, cozinheira, 350 oitavas. Uma mulata: 600 e mais oitavas.

Há uma representação da Irmandade de São Gonçalo Garcia, de São João Del Rei, dirigida a D. Maria I, em 1785, que é documento significativo, a retratar a situação dolorosa, em que se viam as mulatas. Vejamos apenas um trechinho da representação, que é muito longa: "Que muitos senhores não permitem que se libertem as escravas pardas, ainda que algum parente para esse fim ofereça o seu valor, porque as querem ter em casa, obrigando-as a viver em concubinato involuntário, a que elas se sujeitam por não experimentar cativeiro mais rigoroso, servíndo-lhes de exemplo outras que, por não assentirem naqueles abomináveis e pecaminosos tratos, têm sido objeto de extraordinários castigos, principiando por uma nudez vergonhosa àquele sexo, seguindo-se açoites e outros maus tratamentos..." [157]

A Irmandade, constituída de pardos, pedia a S. Majestade fossem os proprietários das escravas pardas obrigados a vender a sua liberdade pelo seu justo valor.

Alguns autores estranham porque escritores e poetas contemporâneos do Aleijadinho teriam silenciado sobre sua figura. Por que Cláudio Manuel da Costa que, além de poeta, foi historiador, não deixou qualquer referência ao genial artista?

Gastão Penalva, na sua estranheza, cita poetas de mistura com engenheiros e militares: "Tomás Gonzaga, Basílio da Gama, os Alvarenga, Bárbara Eliodora, Beatriz Brandão, Álvares Maciel, Paula Freire e tantos outros não incluem o menor desses prodígios..."

Ora, não deve haver qualquer dúvida a este respeito: o que comentamos, linhas atrás, sobre o conceito em que era tido o mulato, sobre a discriminação racial, explica tudo. Mário de Andrade também estranha a ausência de qualquer referência nas *Cartas Chilenas*. E desabafou assim: "Famoso e fingidamente esquecido, parece ter sido a posição social que Antônio Francisco Lisboa sofreu na terra dele..." E pouco adiante: "Talvez Antônio Francisco Lisboa fosse mesmo desprezado por causa da cor". [158]

Não, não há "talvez". A explicação é clara. A rigidez da estrutura social vigente, no Século XVIII, não permitiria nunca a exaltação de um mulato.

O Aleijadinho trabalhou na fazenda do Jaguara? Rodrigo Bretas o afirma. Mas a afirmação desse biógrafo não tem muita consistência, pois, segundo ele, o genial artista trabalhou na Matriz e capela de S. Francisco de Assis de São João Del Rei, na capela de S. Francisco de Assis de Mariana, na Matriz de Sabará, em Santa Luzia etc., o que sabidamente constitui engano do biógrafo.

Entretanto, a tradição é uma força poderosa e essa tradição é que leva vários autores a garantir que os altares da ermida do Vínculo de Jaguara são da autoria do Aleijadinho.

O Dr. Ivo Porto de Menezes encontrou, no AHU., numa prestação de contas dos bens do Vínculo de Jaguara, com data de 3 de janeiro de 1805, o registro de pagamento de sete oitavas e meia "de jornal de seu escravo" (de Antônio Francisco Lisboa). E conclui: "O presente pagamento indica sua presença naquela fazenda."[159]

É pouco, mas já é alguma coisa. O historiador Vicente Racioppi comenta: "Não se conhece documento de autoria do Aleijadinho dos altares entalhados em madeira, belíssimos, que existiam na ermida do Jaguara, atribuídos a Antônio Francisco Lisboa pelo seu biógrafo Rodrigo Bretas. Neles, porém, vê-se a marca do mestre. As características do artista nesse gênero de seus trabalhos ressaltam à vista do observador. Quem conhece tudo o que é do Aleijadinho, pode ver a presença da torêutica do genial vilariquense. A composição da Santíssima Trindade, no altar-mor, é o mesmo desenho de outros trabalhos do mesmo entalhador." [160]

Esses altares encontram-se hoje na Matriz da cidade de Nova Lima. Eis a razão: depois de extinto o Vínculo do Jaguara, as várias sesmarias foram à praça. A sede da fazenda foi arrematada pelo Dr. George Chalmers, diretor da Morro Velho. Este, então, distribuiu as imagens da ermida entre as igrejas vizinhas. Um belíssimo S. Sebastião em mármore, foi oferecido à capela do povoado Dr. Lund (hoje vila, sede de distrito do município de Pedro Leopoldo); três altares, os púlpitos e a belíssima balaustrada do coro, o Dr. Chalmers ofereceu à Matriz da "cidade do ouro", Nova Lima, sede da mina de Morro Velho.

Rodrigo Bretas, o biógrafo do Aleijadinho, transcreve uma memória, segundo ele afirma, escrita pelo 2.º vereador de Mariana, Capitão Joaquim Jose da Silva, em 1790.

Salomão de Vasconcelos, funcionário do antigo SPHAN, num estudo sobre a Vida Social e Política na Vila do Carmo, relaciona os membros do Senado da Câmara, nos diversos períodos. E no ano de 1790, informa Salomão, o presidente e Juiz de Fora era o Dr. Antônio Ramos da Silva Nogueira; e os vereadores, Antônio da Silva e Souza e outros três, cujas assinaturas eram Correia, Ferreira e Mota. [161]

Parece que o engano aqui é do nosso preclaro historiador Salomão de Vasconcelos. Na Publicação n.º 15 da Diretoria do PHAN, de 1951, p. 41, nota nº 25, vê-se transcrito um termo do Senado da Câmara de Mariana, de 1790, no qual figura o nome do Capitão Joaquim José da Silva, como vereador. No seu exemplar, Salomão anotou com sua letra: "Verificar essa data, no arquivo de Mariana. Creio que está errado quanto ao vereador Joaquim José da Silva. S. de V."

Mas não está errado. Tive o cuidado de percorrer os anais da Câmara de Mariana e pude verificar que, realmente, na reunião de 11 de dezembro de 1790, figuram os nomes e as assinaturas de Antônio Ramos da Silva Nogueira, Paulo Rodrigues Ferreira, Joaquim José da Silva, José Correia Rebelo Castro e Antônio Gonçalves da Mata.

Há um problema que deixo para algum pesquisador decifrar. Num dos códices do APM deve existir um requerimento, que provocou o seguinte despacho: "Antônio Francisco Lisboa, oficial entalhador - Despacho: O Comandante do distrito onde o suplicante se achar auxiliará a diligência do Procurador do suplicante, obrigando-se este a conduzi-lo a sua custa, e apresentá-lo na sala desta residência. Vila Rica, 29 de agosto de 1794." [162]

NOTAS

1 - Dauzat, Albert - *Les noms de Personnes - orige et evolution*, Librairie Delagrave, Paris, 1925, p. 54/55.
2 - In: *Estado de Minas*, de B.H., ed. de 23 - agosto-1964.
3 - Bazin, Germain - *O Aleijadinho e a escultura no Brasil*, trad. de Marisa Murray, Distr. Record, 1971, p. 115.
4 - Morais, Geraldo Dutra de - *O Aleijadinho de Vila Rica*, S. Paulo, 1977, Conselho Regional de Farmácia, p. 45.
5 - Melo, José Antônio Gonçalves - *Antonil e sua obra*. In:- *Cultura e Opulência do Brasil por suas drogas e minas*, edição fac-similar, Museu do Açúcar, Recife.
6 - In: *O Marquês de Pombal e o Brasil*, de Marcos Caneiro de Mendonça, 1960, São Paulo, p. 105.
7 - In: *Efemérides Mineiras*, de José Pedro Xavier da Veiga, vol, 11, p. 308.
8 - *A.P.M.*, Cód, Col. nº269, S.G, fi. 64.
9 - Rev. do IHGMG, vol. XVIII, 1981, p. 361/370.
10 - A.H.U., Lisboa, Caixa do Rio de Janeiro, 1781/1796.
11 - *Autos da Devassa*, vol. VI, Rio, p. 379.
12 - Santos, Joaquim Felício - *Memórias do Distrito Diamantino*, In: Rev. do A.P.M., v. XIV, p. 200.
13 - Lapa, M. Rodrigues - *Vida e obra de Alvarenga Peixoto*, Rio, 1960, INL, p. xu.
14 - *Autos da Devassa*, v. 3, Brasília-B. Horizonte, 1981, p. 417 e vol. III, Rio, 1936, p. 210.
15 - *Cartas Chilenas*, carta 5 a v. 116.
16 - Idem, carta 10a, v. 1901194.
17 - Cód. 116, 1-39, Biblioteca Pública de Évora. In: *A Verdade sobre Tiradentes*, de Waldemar de Almeida Barbosa, ed. do Instituto de História e Arte, B.H., sem data, p. 36.
18 - Southey, Robert - *História do Brasil*, 3ª ed., Obelisco, 1963, v. V, p. 39.
19 - Southey, Robert - op. cit. acima, p. 8.
20 - Southey, Robert - op. cit. p. 39.
21 - Lobo, Eulália Maria Lahmeyer - *Processo Administrativo Ibero-Americano*, Bibl. do Exército, 1962, p. 415.
22 - *Documentos Históricos*, v. V, p. 528.
23 - In: *Negócios Coloniais*, de Luís Lusanti, Ministério da Fazenda, vol. I, p. cv.
24 - Santos, Joaquim Felício dos - *Memórias do Distrito Diamantino*, Itatiaia e Univ. de S. Paulo, 1976, p. 148.
25 - In: Rev. do IHGB, tomo 80, p. 29.
26 - Nicolau Poplan, citado por Paulo Prado em *Paulistica*, p. 17118.
27 - Pohl, João Emanuel- *Viagem pelo Interior do Brasil*, Itatiaia e Univ. de S. Paulo, 1976, 2ª parte, p. 239.
28 - Léry, Jean de - *Viagem à terra do Brasil*, Itatiaia e Univ. de S. Paulo, p. 121.
29 - Bazin, Germain - *O Aleijadinho e a escultura barroca no Brasil*, trad. de Marisa Murray, 1971, p. 71.
30 - Magalhães, Couto de, *O Selvagem*, Itatiaia e Univ. de S. Paulo, p. 71.
31 - A.P.M., Cód. Col. 50, S.G., fl. 71.
32 - In: *História de Minas*, de Waldemar de Almeida Barbosa, vol. 2, p. 287.
33 - Vasconcelos, Sylvio de - *Estado de Minas*, de B.H., 30/6/1968.
34 - Jaime Cortesão. In: *Prefácio ao livro Capitania de Minas Gerais*, de Augusto de Lima Júnior, B.H., 1965, 3a ed.
35 - Revista do SPHA'N, nº4, 1940, Rio, p. 336/337.
36 - Martins, Judite - *Subsídios para a biografia de Manuel Francisco Lisboa*. In: Rev. do SPHAN, nº 4, 1940, Rio, p. 125.
37 - Martins, judite - mesma rev SPHAN, nº 15, 1961,-p. 115.
38 - A.P.M., CMOP, *Posturas*, Cód. 13, fl. 5v.
39 - A.P.M., CMOP, *Posturas*, ano de 1722, fl. 4.
40 - A.P.M., CMOP, Cód. nº 13, fi. 31.
41 - A.P.M., CMOP, Cód. 47 *Provisões, ordens de pagamento*, etc., fi. 21 v.
42 - A.P.M., CMOP, *Acordàos*, Cód. 13, fi. 4.
43 - *Do Rio de janeiro a Vila Rica* - Luís Camilo de Oliveira Neto. *Diário da jornada que fez o Exmº Senhor Dom Pedra desde o Rio de janeiro até a Cidade de São Paulo e desta até as Minas ano de 1717* In: Revista SPHAN, 1939, nº3, p. 283/316.
44 - A.P.M., D.F., Livro nº 16, p. 162.
45 - A.P.M., CMOP, *Termos de arrematação*, Cód. nº53, fi. 4.
46 - A.P.M., CMOP, cód. nº 55, fl. 33.
47 - A.P.M., D.F., Cód. nº75, fl. 52.
48 - A.P.M., D.F., Cód. nº 75, fl. 76.
49 - A.P.M., CMOP, Cód. nº 53, fl. 251.
50 - A.P.M., CMOp, Cód. nº 69, fl. 130.
51 - Russel-Wood, A.J.R. - *Manuel Francisco Lisboa*, 1968, Arquitetura, p. 34.
52 - A.P.M , D.F., Cód. nº 75, fi. 125.
53 - *Autos da Devassa*, Rio, 1936, vol: I, p. 1911192.
54 - Arquivo do IHGB, Rio, Lata 115, nº 2.
55 - Del Negro, Carlos - *A escultura ornamental barroca do Brasil*, vol. I, Ed. Arquitetura, s/data, p. 194/195.
56 - Morais, Geraldo Dutra de - *O Aleijadinho de Vila Rica*, Ed. comemorativa do IV Congresso Paulista de Farmacêuticos, 1977, S. Paulo, p. 25/58.
57 - Morais, Geraldo Dutra de - op. cit. acima, p. 66.
58 - Marcos, 14-22/24.
59 - Marcos, 14-38.
60 - Mateus, 26-48/49.
61 - Lucas, 23-27/28.
62 - João, 19-25, 26, 27.
63 - Saint-Hilaire, Auguste de - *Viagem pelo distrito dos diamantes e litoral do Brasil*, Brasiliana, S. Paulo, v. 210, p. 169.
64 - Burton, Richard - *Viagem do Rio de Janeiro a Morro Velho*, Ed. Itatiaia e Univ. de S. Paulo, trad. de David Jardim Júnior; 1976, p. 154.
65 - Bazin, Germain. - *O Aleijadinho e a escultura barroca no Brasil*, trad. de Marisa Murray, Record, 1971.
66 - Batista, Lourival Gomes - *Barroco Mineiro*, Ed. Perspectiva, S. Paulo, 3ª ed., 1978, p. 296.
67 - Batista, Lourival Gomes - op. cit. acima, p. 354/355.
68 - Bazin, Germain - op. cit. acima, p. 260.
69 - Vasconcelos, Sylvio de - *Vida e obra de Antônio Francisco Lisboa, o Aleijadinho*, Brasiliana, nº 369, S. Paulo, 2ª ed., 1979. p. 101.
70 - Vasconcelos, Sylvio de - op. cit. acima, p. 115.
71 - Rev. do SPHAN, nº 2, p. 261.

72 - Mariano, filho, José - *Estudos de Arte Brasileira*, Rio, s/data, p. 26, 27.

73 - Moog, Vianna - *Bandeirantes e Pioneiros*, p. 402.

74 - Vasconcelos, Sylvio - op. cit., p. 115.

75 - Andrade, Mário de - *Aspectos das artes plásticas no Brasil*, Livr. Martins, S. Paulo, p. 45.

76 - Freyre, Gilberto - *Sobrados e Mocarnbos*, Brasiliana, S. Paulo, v. 64, 1936, p. 322.

77 - Freyre, Gilberto - op. cit. acima, p. 323.

78 - Teixeira, José João - *Instrução para o governo da Capi- tania de Minas Gerais*. In: Rev. do IHGB, vol. XV, p. 347. Conforme já frisamos em trabalhos anteriores, José João Teixeira não assinava "Coelho", que aparece na publicação citada.

79 - Andrade, Mário de - *Aleijadinho e Álvares de Azevedo*, R. A. Editora, Rio, 1935, p. 14.

80 - Bazin , Germain - op. cit. p. 293/294.

81 - Machado, Lourival Gomes - *Barroco Mineiro*, Ed. Perspectiva, S. Paulo, 1978, 3.ª ed., p. 233.

82 - Trindade, Cônego Raimundo - *São Francisco de Assis de Ouro Preto*, Rio, MEC, 1951, p. 372.

83 - Mariano, Filho, José - *Estudos de Arte Brasileira*, Rio, s/data, p. 19

84 - Vasconcelos, Sylvio de - *Vida e obra de Antônio Francisco Lisboa, o Aleijadinho*, p. 34/35.

85 - Pires, Pe. Heliodoro - *O Aleijadinho - Gigante da arte no Brasil*, Melhoramentos, 1942.

86 - Conceição, Frei Apolinário da - *Claustro Franciscano*, publicado na oficina de Antônio Isidoro da Fonseca, Lisboa Ocidental, MDCC XL, p. 107.

87 - Pires, Pe. Heliodoro - *Mestre Aleijadinho - Vida e Obra de Antônio Francisco Lisboa - Gigante da arte sacra no Brasil*, 1961, Livr. S. José, Rio, p. 40.

88 - Morais, Geraldo Dutra de - *O Aleijadinho de Vila Rica*, - Conselho Regional de Farmácia, S. Paulo, 1977, p. 32.

89 - Morais, Geraldo Dutra de - op. cit. p. 32.

90 - Morais, Geraldo Dutra de - op. cit. p. 35.

91 - Oliveira, D. Oscar de - A *Igreja, criadora das primeiras escolas primárias de Minas Gerais*. In: *O Arquidiocesano*, n°s 842 e 843, respectivamente de 211111975 e 9/1111975.

92 - A.P.M., CMOP, Cód. nº 57, fl. 105 e seguintes.

93 - Documento (escrito em Latim) do arquivo da Paróquia de Paracatu.

94 - Taunay - *Relatos Sertanistas*, Livr. Martins, S. Paulo, 1953, p. 8l.

95 - Conceição, Frei Apolinário da - *Primazia Seráfica na América*, p.64.

96 .- Conceição, Frei Apolinário da - op. cit. na nota nº 7, p. 26.

97 - A.P.M., CMOP, coe. nº 49, fl. 36v.

98 - In: *Vida e obra de Antônio Francisco Lisboa, o Aleijadinho*, de Sylvio de Vasconcelos, p. 21.

99 - Dr. Sigaud - *Du climat et des maladies du Brésil*, Paris, 1844, p. 185.

100 - No volume *Em comemoração do centenário do ensino médico*, editado em 1908, pela Academia Nacional de Medicina, o autor, Pereira Rego, informa que a Zamparina grassou no Rio, em 1781. A diferença de um ano não diminui o valor da informação.

101 - Furtado, Tancredo A. - *O Aleijadinho e a Medicina*, B.H., 1970, p. 34.

102 - Morais, Geraldo Dutra de - *O Aleijadinho de Vila Rica*, 1977, S. Paulo, p. 46/47.

103 - Mateus, 8-3,4.

104 - Lucas, 17-12/14.

105 - Vasconcelos, Sylvio - op. cit. p. 114.

106 - Andrade, Mário de - *O Aleijadinho e Álvares de Azevedo*, R. A. Editora, Rio, 1935, p. 55.

107 - Andrade, Mário de - op. cit. p. 60.

108 - In: *Em torno da História de Sabará, de Zoroastro Via na Passos*, Publ. do SPHAN nº 5, Rio, 1940, p. 157/158. Zoroastro Passos publica o documento e estranha não encontrar a assinatura de Antônio Francisco Lisboa. Alvitra a hipótese de ter sido vedada a sua assinatura, por causa de "Infâmia" de mulato. Ora, o Aleijadinho não tinha que assinar o documento. Não se trata de um contrato, como o ilustrado historiador faz crer, mas um "termo pelo qual se determinou ..." Trata-se de uma resolução do Comissário e dos mesários. Nesse termo, realmente ficou registrado o ajuste do salário de Antônio Francisco Lisboa de "duzentos mil réis por cada ano", como ficou também ajustado o salário de seus oficiais, José Soares, Tomás Velasco, José Roiz e Joaquim da Silva. Mas, na realidade, não se trata de um contrato, mas de uma resolução da diretoria da Irmandade.

109 - Bandeira, Manuel - *Guia de Ouro Preto*, Publ. do SPHAN nº 2, Rio, 1938, p. 54.

110 - A devolução da revista está registrada no nº 2 da mesma revista, p. 149.

111 - Bazin, Germain - op. cit. p. 113.

112 - *Aleijadinho - símbolo da cultura autônoma*. In: *Revista Brasileira de Estudos Políticos*, nº 48, janeiro de 1979, B H., p. 7/45

113 - *Traços biográficos* . Lata 115, n0 2, fl. 13/14, arquivo do IHGB.

114 - Batista - Lourival Gomes - op. cit. p. 420.

115 - Vasconcelos, Sylvio de - op. cit. p. 41.

116 - In: Revista do SPHAN, nº 3, p. 176.

117 - Vasconcelos, Sylvio de - op. cit. p. 9.

118 - Vasconcelos, Salomão de - *Verdades Históricas*, Bibl. Mineira de Cultura, B.H., 1936, p. 134.

119 - In: *Igrejas de São João Del Rei*, de Luís de Melo Alvarenga, Vozes, Petrópolis, 1963, p. 35.

120 - Lº 2, fl. 133v. e 134 da Ordem Terceira, de São João Del Rei.

121 - Pedrosa, Heitor - *O Aleijadinho*, S. Paulo Ed., 1940, p. 50.

122 - Pires, Pe. Heliodoro - op. cit., p. 88.

123 - In: *Estado de Minas*, B.H., ed. de 19 - abril - 1938, p. 3.

124 - Penalva, Gastão -*Diário da Noite*, Rio, ed. de 23 de abril de 1938, p. 1.

125 - Alvarenga, Luís de Melo - *Francisco de Lima Cerqueira - O artista e suas obras*, In: *Revista de História e Arte*, na 8, 1975, B.H., p. 52.

126 - Lº 2, fl. 133v. e 134 da Ordem Terceira, S. João Del Rei.

127 - Livro de óbitos da Matriz de São João Del Rei - 1796-1811, fl. 452v. e 453v.

128 - Mourão, Paulo Kruger Corrêa - *As igrejas setecentistas de Minas,* 1964, Itatiaia, B.H., p. 150/151.

129 - Burton, Richard - *Viagem do Rio de Janeiro a Morro Velho,* Ed. Itatiaia e Univ. de S. Paulo, trad. de David Jardim Júnior, 1976, p. 155.

130 - Frieiro, Eduardo - In: *Minas Gerais,* ed. de 31 de outubro de 1934, p. 7.

131 - Júnior, Augusto de Lima - *Aleijadinho e a arte colonial,* 1942, Rio, ed. do autor, p. 11.

132 - Vasconcelos, Salomão de - op. cit. na nota nº 9, p. 132.

133 - Id. id., p. 133.

134 - Carvalho, Feu de - In: *Minas Gerais,* ed. de 17 - junho - 1934.

135 - Trindade, Cônego Raimundo - *São Francisco de Assis de Ouro Preto,* Publ. do PHAN nº 17, Rio, 1951, p. 374/377.

136 - In: *Bicentenário de Ouro Preto,* Imprensa Oficial, 1711-1911, p.376.

137 - Carvalho, Feu de - *O Aleijadinho,* B.H., Ed. Históricas, 1934, p. 21.

138 - *O Cruzeiro,* Rio, nº 95, de 30 - agosto - 1930.

139 - Arquivo Ultramarino, Minas Gerais, maço 1714-1749.

140 - Filho, Aires da Mata Machado - *O enigma do Aleijadinho e outros estudos mineiros,* José Olympio, Rio, 1975, p. 11.

141 - Bazin, Germain - op. cit., p. 98.

142 - Falcão, Edgard Cerqueira - *A Basílica do Senhor Bom Jesus de Congonhas do Campo,* MCMLXII, Brasiliensia Documenta, vol. m, p. 186.

143 - Filho, Aires da Mata Machado - op. cit., p. 12.

144 - Livro de Receita e Despesa da Irmandade de N. Sª das Mercês e Perdões de Vila Rica, fi. 71.

145 - Moog, Vianna - op. cito p. 399.

146 - Saint-Hilaire, Auguste de - *Viagem pelo distrito dos diamantes e litoral do Brasil,* Brasiliana, S. Paulo, v. 210, 1941, p. 168.

147 - Andrade, Djalma - *Bom Jesus, Edição Especial do "Senhor Bom Jesus",* 1948, Congonhas do Campo, p. 52 e seguintes.

148 - Ata da reunião extraordinária do Conselho Estadual de Cultura de 10 de janeiro de 1972, publicada na íntegra no Minas Gerais de 17-3-1972.

149 - *Minas Gerais,* ed. de 21 - junho - 1972, p. 5.

150 - *Estado de Minas,* de 9/1111971.

151 - A.P.M., D.F, Cód. na 36, fi. 13.

152 - *Diário de Notícias,* Rio, ed. de 16-2-1941.

153 - *Rev. do A.P.M.,* v. XXVI, p. 125.

154 - A.H.U. - Minas Gerais, maço na 2.

155 - *Rev. do A.P.M.,* v. XXX, 1979, p. 229/230.

156 - *História da Igreja* - Vários autores, vol. 2, Vozes, Petrópolis, 1979, p. 53.

157 - *A tragédia dos mulatos.* In: *Revista de História e Arte,* na 2, 1963, p. 144/145.

158 - Andrade, Mário de - *O Aleijadinho e Álvares de Azevedo,* p.28.

159 - *Rev. do A.P.M.,* v. XXVI, 1975, p. 125.

160 - In: *Estado de Minas,* ed. de 12 - agosto - 1956, 3ª secção, pág. 1.

161 - Vasconcelos, Salomão de - *Vida Social e Política na Vila do Carmo,* separata da *Revista Brasileira de Estudos Políticos,* B.H., nº 20, 1966, p. 220.

162 - Cód. Col. 263, S.G., fi. 242, A.P.M. Está publicado na Rev. do IHGMG, vol. VI, p. A28.

Este livro foi composto com a tipografia Times New Roman
e impresso pela Meta Brasil.